Fogo no parquinho

Fogo no parquinho

Namoro à luz da Palavra de Deus

YAGO MARTINS

MUNDO CRISTÃO

Copyright © 2022 por Yago Martins

Os textos bíblicos foram extraídos da *Nova Versão Transformadora* (NVT), da Tyndale House Foundation, salvo as seguintes indicações: *Almeida Revista e Corrigida* (RC), *Almeida Revista e Atualizada*, 2ª edição (RA) e *Nova Almeida Atualizada* (NAA), da Sociedade Bíblia do Brasil; *Nova Versão Internacional* (NVI), da Bíblica, Inc.; e *A Mensagem*, de Eugene Peterson, da Editora Vida.

Todos os direitos reservados e protegidos pela Lei 9.610, de 19/02/1998.

É expressamente proibida a reprodução total ou parcial deste livro, por quaisquer meios (eletrônicos, mecânicos, fotográficos, gravação e outros), sem prévia autorização, por escrito, da editora.

Edição
Daniel Faria

Revisão
Natália Custódio

Produção
Felipe Marques

Diagramação e capa
Marina Timm

Colaboração
Ana Luiza Ferreira
Matheus Fernandes

Ilustração de capa
Guilherme Match

CIP-Brasil. Catalogação na publicação
Sindicato Nacional dos Editores de Livros, RJ

M347f

    Martins, Yago
      Fogo no parquinho : namoro à luz da palavra de Deus / Yago Martins. - 1. ed. - São Paulo : Mundo Cristão, 2022.
    208 p.; 21 cm.

    ISBN 978-65-5988-160-4

    1. Casamento - Aspectos religiosos - Cristianismo. 2. Cônjuges - Aspectos religiosos - Cristianismo. I. Título.

22-79207   CDD: 248.844
                                      CDU: 27-452

Gabriela Faray Ferreira Lopes - Bibliotecária - CRB-7/6643

Categoria: Relacionamentos
1ª edição: outubro de 2022 | 5ª reimpressão: 2024

Publicado no Brasil com todos os direitos reservados por:

Editora Mundo Cristão
Rua Antônio Carlos Tacconi, 69
São Paulo, SP, Brasil
CEP 04810-020
Telefone: (11) 2127-4147
www.mundocristao.com.br

Para Miguel Alysson e Milca Magalhães,
que me presenteiam com
amizade duradoura e fiel.

Se não fosse tão horrível, seria ridículo, o orgulho e a presunção com que nós, como crianças, desmontamos o relógio, retiramos a mola, fazemos dela um brinquedo e depois ficamos admirados, ao ver que o relógio parou de funcionar.

LIEV TOLSTÓI[1]

— [...] não somos amantes. Aquele beijo foi um acontecimento fortuito, um grave erro que, se não podemos reparar, tampouco devemos repetir. [...]
— [...] Acaso podes apagar o beijo que me deste?

JOÃO UBALDO RIBEIRO[2]

---

[1] Liev Tolstói, *Uma confissão* (São Paulo: Mundo Cristão, 2017), p. 81-82.
[2] João Ubaldo Ribeiro, *Viva o povo brasileiro* (Rio de Janeiro: Objetiva, 2014), p. 522.

Sumário

Prefácio — 9
Introdução — 13

1. Namoro não existe — 15
   Resgatando o padrão de relacionamento cristão

2. O caminho da prostituição — 36
   Práticas do namoro ímpio que normalizamos nas igrejas

3. Deus fez você para casar — 68
   O casamento como único padrão de relacionamento íntimo

4. Quando eu posso começar a namorar? — 97
   Cinco argumentos contra o namoro precoce

5. Pare de desperdiçar sua solteirice namorando — 132
   O que todo jovem precisa saber sobre eunucos e celibatários

6. Não misture a família da fé — 166
   Uma teologia bíblica do casamento com descrentes

Perguntas e respostas — 190
Sobre o autor — 207

Prefácio

Aos 16 anos, quando eu ainda não havia conhecido o Senhor Jesus, ingressei no meu primeiro relacionamento. Minha realidade familiar não vivenciava o evangelho, e as ideias que tinha sobre namoro se resumiam aos filmes e romances para jovens adultos que consumia freneticamente. Não precisamos nos estender demais no assunto para concluir que tinha tudo para ser um fracasso. E foi.

Enquanto ainda não havia sido convertida ao Senhor, tudo parecia certo. Mesmo comprometida com outro rapaz, *casamento* era o tipo de coisa em que eu só pensaria depois de completar a graduação. Ou um mestrado, quem sabe? O matrimônio não era sequer uma ideia para nós dois. Filhos? Atrasam a vida. São o tipo de coisa que você pensa em fazer depois dos trinta — e depois de cumprir a lista de sonhos que, com certeza, incluem coisas como viajar muito e curtir a vida ao máximo. Namoraríamos por tempo indeterminado. Namoraríamos "para ver no que vai dar". Namoraríamos para nos conhecermos e, se nada desse certo ou nos encontrássemos infelizes, terminaríamos. Se percebêssemos que o que o outro desejava para si estivesse muito distante daquilo que queríamos para nós mesmos, sem qualquer tipo de aliança solene, seguiríamos a vida separados. Cada um realizaria as próprias vontades. Nenhum sacrifício valeria a pena para abalar a autossatisfação. Resumidamente, usávamos um ao outro para benefício pessoal até que nos cansássemos disso.

Foram quatro anos assim, até o meu encontro com o Senhor Jesus.

Não o estava buscando intencionalmente, tampouco me considerava ateia, mas a sensação desse encontro foi parecida com a de Paulo no caminho a Damasco. Súbita e maravilhosamente, as escamas dos meus olhos caíram e eu soube que não prestava. Tudo estava errado. Passei a me dedicar a descobrir o que precisava mudar, e logo entendi que Deus tinha algo puro e verdadeiro para o meu futuro. Soube, entre muitas outras coisas, que aquilo que estava diante de mim era muito mais valioso do que qualquer coisa que já tivesse vivenciado, e sem demora terminei o namoro.

Conforme ia conhecendo as Escrituras a verdade se abria diante de mim, e cresceu o desejo de ter uma família que pudesse ser um lugar onde Jesus é glorificado. Como funciona um lar cristão? Como seria crescer em uma família assim? Como seria viver desde a infância as verdades sobre a fé, sobre o futuro e sobre Deus? Queria isso para os meus filhos. Queria isso para mim — e, com a graça de Deus, tenho vivido o começo dessa realidade com meu esposo e minha filha.

Com o passar do tempo, pude vivenciar a vida em comunidade com irmãos e irmãs na igreja local e compartilhar de boas conversas na internet com gente de toda parte. Esses relacionamentos me fizeram perceber que os assuntos relacionados a solteirice, namoro, noivado e casamento geravam inúmeras inseguranças e dúvidas nas pessoas. Nesse turbilhão de novidades em que a vida no evangelho me inseriu, observei que muitos irmãos e irmãs se encontravam perdidos em meio às suas emoções e à responsabilidade da escolha da pessoa com quem passariam grande parte da vida e formariam uma família. Pude notar que muitas pessoas insistem em fazer escolhas emocionais — não raro enganando a si mesmas afirmando que são escolhas espirituais — e esquecem-se de atentar ao que verdadeiramente importa.

Também vejo que muitos irmãos e irmãs enfrentam problemas relativos à santidade no período que antecede o casamento. Vivemos tão imersos na cultura de nosso tempo que experienciamos a vida fazendo escolhas mais conectadas com a contemporaneidade que com os ensinamentos das Escrituras. Vivemos relacionamentos que deveriam ser para a glória de Deus esquecendo-nos de perguntar ao Criador o que *ele* pensa dos limites que estamos cruzando, muitas vezes ingenuamente. Usamos as pessoas para suprir nossas carências emocionais sem a noção de que no casamento deveríamos viver uma vida de sacrifícios. Namoramos não objetivando o casamento. Não pode ser assim.

É por isso que a mensagem deste livro é tão importante. O que você tem em mãos é uma ferramenta poderosa capaz de ampliar os seus pensamentos sobre como tem vivido e se relacionado com o assunto do namoro. Pode ajudar você, também, a aconselhar pessoas que estão enfrentando dúvidas e inseguranças no coração e contribuir positivamente para a edificação do corpo de Cristo.

Não sou uma pessoa que possui muitos relacionamentos com pessoas influentes, mas encontrar nesse meio Yago Martins e sua esposa, Isa, foi uma grata surpresa ao meu coração. Além de abençoar nossa família com os conteúdos teológicos que publica, ele nos abençoa com sua amizade.

Posso dizer, pessoalmente, que o coração humilde do meu irmão em Cristo nos constrangeu todas as vezes que nos assentamos à mesa com seu cuidado e preocupação. Esse mesmo zelo que Yago carrega ao instruir a igreja, zelar pelos amigos e cuidar de suas ovelhas é encontrado nas páginas deste livro. Aprecio seus pensamentos sobre o assunto, e minha oração é para que esta obra edifique a sua vida e a daqueles que escutarem essa mensagem através de você.

Obrigada por tanto, querido amigo.

Roberta Vicente
Discípula. Esposa. Mãe.

Introdução

Era o fim do culto de oração. Normalmente, após um tempo coletivo de louvores e meditação, nós nos dividimos em grupos menores para pedidos de oração mais íntimos. Meu grupo tinha terminado de orar, e enquanto eu levava minha cadeira de plástico para a pilha que ficava dentro do prédio da igreja, aquela senhora me chamou para fazer uma pergunta. Era a mãe de um dos adolescentes da comunidade. A pergunta foi direta como uma bala, e o volume da voz indicava a total ausência de constrangimento: "Pastor, com que idade meu filho vai poder começar a beijar na boca?".

Conversar sobre namoro é importante para todos os crentes. Por mais que soe tema juvenil, todos estamos relacionados com a vida de jovens solteiros que precisam ser instruídos no caminho da fé. Talvez você seja um irmão ou uma irmã da igreja envolvido com discipulado e que terá de falar sobre relacionamentos para crentes mais jovens. Isto é, terá de exortar, consolar e ensinar de acordo com uma visão madura dos relacionamentos. Assim como Paulo disse que as mulheres mais velhas deviam "ensinar o que é bom" e "instruir as mulheres mais jovens a amar o marido e os filhos" (Tt 2.3-4), também nós devemos instruir os que são solteiros no caminho para se tornarem casados que amarão sua família.

Ou, quem sabe, você seja um pai ou uma mãe que um dia terá de instruir seus adolescentes — talvez com dúvidas sobre a idade ideal para começar a beijar na boca. Infelizmente, não é incomum que alguns pais instruam muito mal seus filhos no caminho da pureza, mesmo quando os filhos congregam em ambientes saudáveis e bíblicos. Talvez seu filho precise ouvir do pai ou da mãe instruções amorosas e cuidadosas, mais relacionais do que um livro é capaz de ser. Assim, as letras frias podem ser temperadas com o amor familiar.

Ou, ainda, você pode ser um solteiro que planeja começar um relacionamento amoroso ou alguém que já vive aquilo que nossa cultura chama de namoro. Assim, espero que você possa avaliar o modo como pretende viver ou já tem vivido a cultura do namoro. Talvez algo neste livro irrite você, mas peço que julgue tudo pela Palavra e pela sabedoria santificada. Tenho certeza de que a Palavra é suficiente para vivermos tudo o que diz respeito à fé e à piedade. De qualquer modo, este livro se destina a todos os crentes. Leigos e pastores, jovens e idosos, pais e filhos. Espero que todos possam fazer uma boa leitura.

"Pastor, com que idade meu filho vai poder começar a beijar na boca?", aquela mãe perguntou. Tentei responder com o tom mais amoroso possível: "Querida, a pergunta por si só já está errada". Nas próximas páginas eu pretendo mostrar o porquê.

1
Namoro não existe

*Resgatando o padrão de
relacionamento cristão*

"Mamãe, como nascem os bebês?" Se você tem filhos, provavelmente já tremeu diante dessa pergunta. Você deve ter respondido uma versão amenizada do processo científico de fecundação: o papai põe uma sementinha na barriga da mamãe, que cresce e então nasce. Coisas importantes possuem processos importantes.

Mas e se seu filho de quatro anos mudar um pouco a pergunta? Ele pode perguntar: "Mamãe, como nascem os casamentos?". Talvez você tenha de pensar um pouco mais, mas provavelmente responderá com uma fórmula cultural muito moderna: duas pessoas vão se apaixonar, começar a namorar, noivar e então casar. É provável que, se você cresceu na igreja, esse tenha sido seu processo. Caso não, você pode ter casado com base em uma série de atitudes que, na época, ofenderam a Deus: aplicativos de relacionamento, pegação, sexo antes do casamento, morar juntos sem se casar, gravidez indesejada etc. Seja como for, os processos são parecidos. Vocês se conhecem, acabam interessados um no outro de alguma forma, criam algum tipo de compromisso prévio com liberdades variadas, e então contraem matrimônio.

Mas sempre foi assim? Aliás, sempre é assim? Ou melhor, sempre deve ser assim?

Uma breve história do namoro
(breve mesmo, para não ficar chato)

Pode ser que não seja novidade para você o fato de que o namoro como o conhecemos não foi o padrão relacional que imperou na história do mundo. Se você olhar para sua Bíblia ou mesmo para outras culturas, deparará com formas muito variadas de criar casamentos.

Em sociedades primitivas e tribais, mulheres eram tomadas de outras tribos através de invasão e captura. As mulheres não se casavam porque se apaixonavam por um jovem galanteador, mas porque os guerreiros de sua tribo haviam perdido a guerra contra uma tribo mais poderosa.

No judaísmo antigo, o padrão eram os casamentos familiares. Os pais definiam com quem o filho ou a filha iria se casar visando a manutenção da pureza da família. Em Gênesis 24, por exemplo, Abraão manda o encarregado da administração de seus bens ir buscar uma esposa para Isaque, seu filho. Isaque só conhece Rebeca no dia do casamento, sem nunca terem se visto antes.

É verdade que no judaísmo havia a cultura do "noivado", mas já se tratava de um casamento, ainda que sem a consumação carnal. Um casal de "noivos" não noivava no sentido moderno. Já eram tidos como casados. Se pensarmos em José e Maria, por exemplo, veremos José planejando um divórcio, mesmo sendo ainda noivo.

Em culturas árabes, encontramos — ainda hoje — vários casamentos arranjados. Por motivos financeiros ou outras questões, pais entram em acordo e decidem casar seus filhos, que, em obediência aos pais, casam-se com a pessoa escolhida por eles, não tendo qualquer participação no processo decisório.

No período medieval na Europa, o amor começou a ganhar destaque como resposta aos casamentos arranjados, dando início ao que se chama de "cavalheirismo medieval", em que se usavam serenatas e poesias para conquistar o coração da amada. Foi um tempo em que a castidade era grandemente valorizada.

A partir daí, teve início a cultura do cortejo. Muitos livros contam a história do cortejo desde o século 18 até hoje. Nessa época, não convinha que um homem fosse visto sozinho com uma moça, por isso havia algum tempo de interesse distante e silencioso até que um cavalheiro interessado fosse formalmente apresentado por alguém a uma dama e propusesse levá-la até a casa dela após algum evento social. Provavelmente, ele lhe entregaria um cartão, e ela decidiria se o chamaria ou não. Se ela recebesse vários cartões, poderia escolher um dentre eles. Existia até a figura da "alcoviteira", geralmente uma prima, irmã, tia ou amiga da moça, que ficava responsável por marcar os encontros, levar as cartinhas, e assim por diante.

Assim, antes do século 20, o processo de cortejo havia se estabelecido do seguinte modo. Um casal interessado passaria tempo junto para se conhecer, visando sem sombra de dúvidas um casamento. Em geral, seriam membros de uma mesma comunidade. Todo o galanteio se dava na casa da mulher, e ambos estariam sempre acompanhados de alguém da família dela. Se o namoro progredisse, então o casal ganharia o direito de se sentar na varanda da frente da casa, sem tanta supervisão. Claro que existia sexualidade antes do casamento e permissividades variadas entre as famílias, mas o cenário cultural era diferente. Em geral, o que os casais podiam fazer era dar leves toques ou beijos nas mãos do outro — nem mesmo o beijo no rosto era culturalmente aceito.

De acordo com os historiadores, duas coisas mudaram profundamente a cultura de cortejo no mundo. Em primeiro lugar, a invenção do automóvel em meio ao avanço da cultura do entretenimento, que levou o cortejo dos locais privados para lugares públicos, mas desacompanhados de familiares. Em segundo lugar, a revolução sexual que se iniciou na década de 1930 e alcançou seu apogeu nos anos 1960, quando o mundo mudou sua forma de interpretar a sexualidade. O lema passaria a ser: faça amor, não faça guerra. Por mais que o pecado sexual sempre tenha existido, agora ele se tornaria parte do caminho culturalmente normal para chegar ao casamento.

O pecado se tornou quase uma necessidade cultural. Se o adolescente diz que deseja casar virgem, ouve zombarias dos colegas de escola. Para nossa cultura, não se casa com quem ainda não se fez sexo. Seria um absurdo, dizem. E sem ter beijado? Coisa de fanático religioso digno de internação. A cultura tenta nos convencer de que antes de casar é bom morar junto um tempo, fazer *test drive* e experimentar de antemão tudo o que seria próprio do casamento.

A verdade é que existem muitas liberdades no modo como as culturas interpretam o relacionamento entre um homem e uma mulher com fins de casamento. Muitas práticas que rejeitamos, nós só rejeitamos por causa de nossa cultura, não por causa de nossa teologia. Não encontramos condenações bíblicas aos casamentos arranjados da cultura árabe, ou aos casamentos familiares da cultura judaica. Só consideramos essas práticas um tanto esquisitas porque fomos educados em fortes ideais de individualidade e democracia. Elas ofendem nossa cultura, mas não são necessariamente formas condenáveis, à luz da Bíblia, de pensar a busca por matrimônio. Outras práticas, sim, são claramente condenáveis — como culturas de rapto de mulheres decorrente da invasão de outras tribos. Uma vez, contudo, que nossa preocupação é com a nossa cultura, não pretendo discutir a fundo os desafios particulares das culturas judaica ou árabe.

Mas e o namoro moderno? Nós, como crentes, sabemos que não podemos nos envolver em muitas das práticas tidas como normais de namoro. Em geral, igrejas entendem que não se deve fazer sexo antes do casamento e que não se deve morar juntos antes de casar (por mais que muitos façam sexo e praticamente vivam na casa do outro). Não podemos namorar como o mundo namora, certo?

Certo.

Mas onde fica o limite entre a cultura de namoro mundano e a cultura de namoro que honra a Palavra de Deus?

O que nós precisamos fazer é avaliar o *namoro*, a forma como todos nós fomos ensinados que é a natural e comum para encontrar um marido ou esposa, e verificar se podemos incorporar toda essa cultura do namoro (como algo totalmente positivo), se precisamos reavaliar o modo como namoramos (ficando com o que é positivo e rejeitando práticas negativas) ou se precisamos abandonar definitivamente o namoro e assumir algum outro tipo de instituição para que solteiros procurem se casar (tratando o namoro como algo maligno e pecaminoso por si só).

Para isso, precisamos definir o que a Bíblia diz sobre namoro, solteirice e preparação para o casamento. Será que existe um modo correto de definir como os relacionamentos começam? O que são práticas apropriadas para o namoro, e o que são práticas pecaminosas?

Como as pessoas se casavam na Bíblia?

Talvez você se espante com o que vou dizer, mas quando lemos toda a Bíblia, de Gênesis a Apocalipse, somos constrangidos com o seguinte fato: namoro não existe. Claro, muitas coisas não existem na Bíblia, e nem por isso deixam de existir na realidade. É óbvio que carros existem, ainda que não sejam mencionados em nenhuma carta do apóstolo Paulo. Namoros existem, e eu mesmo conheço vários. O que quero dizer é que, no modo como a Palavra de Deus interpreta a preparação de homens e mulheres para o matrimônio, não consta algo semelhante ao namoro moderno.

Na Bíblia, só existe solteirice e casamento — o noivado era uma prática cultural do judaísmo que já configurava um casamento. O relato da criação do homem e da mulher estabelece muito sobre casamento, mas pouco sobre namoro e cortejo. Lemos que "o homem deixa pai e mãe e se une à sua mulher, e os dois se tornam um só" (Gn 2.24). Adão era solteiro, então Adão era casado. Não existe meio-termo. E esse é um fato ao longo de toda a Bíblia. Ou uma mulher é sua esposa ou ela não é. Ou um homem é seu marido ou ele não é.

Se as coisas são assim, então como é que devemos nos casar? Eu encontro uma moça, peço em casamento e, na semana seguinte, fazemos uma festa e passamos a morar juntos? Na Bíblia, ou os pais decidiam ou homem e mulher se interessavam um pelo outro por algum motivo e então se casavam. Simples assim. Havia processos familiares e questões de dote, mas, em resumo, um homem solteiro e uma mulher solteira contraiam matrimônio e pronto.

O namoro, por sua vez, é uma etapa diferente numa cultura como a nossa, de profunda liberdade individual. Uma vez que não é seu pai que escolherá seu marido ou sua esposa, você quer conhecer a pessoa primeiro a fim de decidir se ela é realmente a ideal para sua vida. Isso é errado? De modo nenhum. Honrar pai e mãe é importante, e contar com o auxílio deles no processo decisório é fundamental, mas nada na Bíblia diz que precisam ser eles quem escolhe o cônjuge dos filhos.

O problema é que, com esse tempo de averiguação pessoal, adicionamos também algumas práticas próprias do casamento, como um petisco do que seria a vida a dois.

Pessoas do mundo, é claro, aproveitam cada pequeno pedaço do que seria próprio do matrimônio: fazem sexo, moram juntos, dividem as contas etc. Mas e os crentes? Crentes também erram a seu modo. Dependência financeira, relação de autoridade e submissão, conversas picantes e as mais variadas intimidades sexuais fazem parte de muitos namoros na igreja. Algumas moças não só cobram do namorado presentes caros como também exigem que ele participe de seu sustento financeiro, ao passo que alguns rapazes tentam exercer autoridade sobre a namorada, como se fosse seu marido, quando uma jovem solteira só deve submissão aos pais (ela é submissa ao marido quando se casa com ele, mas não é submissa a um moleque que nunca entregou a vida por ela). Infelizmente, isso tudo faz parte da cultura de namoro de muitas igrejas, mesmo quando acontece debaixo dos panos.

> Talvez você se espante com o que vou dizer, mas quando lemos toda a Bíblia, de Gênesis a Apocalipse, somos constrangidos com o seguinte fato: namoro não existe.

Se não fosse esse carimbo mágico chamado "namoro", muitas das práticas comuns no relacionamento entre jovens seriam chamadas tranquilamente de pecado. Todavia, uma vez que chamamos de namoro, deixa de ser pecado.

Uma Corbã para os relacionamentos

O namoro é uma "lei da Corbã". Se você não se lembra bem dos conflitos entre Jesus e os fariseus, deixe-me refrescar sua memória:

> Então os fariseus e os mestres da lei perguntaram a Jesus: "Por que os seus discípulos não vivem de acordo com a tradição dos líderes religiosos, em vez de comerem o alimento com as mãos 'impuras'?"
> Ele respondeu: "Bem profetizou Isaías acerca de vocês, hipócritas; como está escrito:
>
> 'Este povo me honra com os lábios,
>   mas o seu coração está longe de mim.
> Em vão me adoram;
>   seus ensinamentos não passam de regras
>   ensinadas por homens'.
>
> Vocês negligenciam os mandamentos de Deus e se apegam às tradições dos homens".
> E disse-lhes: "Vocês estão sempre encontrando uma boa maneira de pôr de lado os mandamentos de Deus, a fim de obedecerem às suas tradições! Pois Moisés disse: 'Honra teu pai e tua mãe' e 'Quem amaldiçoar seu pai ou sua mãe terá que ser executado'. Mas vocês afirmam que se alguém disser a seu pai ou a sua mãe: 'Qualquer ajuda que vocês poderiam receber de mim é Corbã', isto é, uma oferta dedicada a Deus, vocês o desobrigam de qualquer dever para com seu pai ou sua mãe. Assim

vocês anulam a palavra de Deus, por meio da tradição que vocês mesmos transmitiram. E fazem muitas coisas como essa".

Marcos 7.5-13, NVI

Veja só: os escribas e fariseus estavam criando recursos para pecar com a consciência tranquila. Um desses recursos era a lei da Corbã, que consistia em dedicar todos os bens ao Senhor, a fim de não precisar dar nada dos próprios recursos ao sustento de seus pais na velhice. Essa era uma safadeza muito esperta: uma vez que tudo tinha sido dedicado a Deus, a pessoa não era mais dona de nada e, portanto, nada tinha para dar aos pais. No entanto, mesmo com tudo dedicado a Deus, ela podia continuar usufruindo à vontade do que era "do Senhor". Com esse carimbo "Corbã", era possível pecar sem que parecesse pecado. Pais eram abandonados pelos filhos numa cultura em que não havia previdência pública ou privada, e tudo estaria bem — afinal, a Corbã permitia. Mas Corbã não existe. É uma invenção cultural, uma tradição de homens que lhes permitia contradizer a Palavra de Deus.

O namoro é uma Corbã relacional. É um artifício cultural inexistente na Bíblia, que põe a pessoa num estado de exceção para alguns mandamentos divinos. Ela pode desobedecer à lei, desde que esteja escrito "namoro" em seu crachá. Ela se permite práticas que em condições normais configurariam pecado. Seria um pecado terrível sair beijando por aí, mas se for "Corbã", então tudo bem. Basta chamar de namoro para agir contra mandamentos bíblicos sem peso na consciência. A moça não pode cometer a tolice de entregar o coração a um homem que não é seu marido... a menos que chame isso de namoro. O rapaz não pode passar tempo sozinho e ter conversas que atiçam a sexualidade com quem não é sua esposa... a menos que chame isso de namoro. Se chamar de namoro, cria-se um direito indevido de se apropriar de parte do que é comum apenas ao matrimônio, e todo um grupo de pecados passa a ser normalizado.

A Bíblia diz que não podemos fazer sexo antes do casamento, mas diz que no casamento o sexo é permitido como uma bênção. Se você é solteiro, não pode transar; se é casado, não só pode como deve. E é isso. Não existe meio do caminho, não existe ponto de interseção, não existe namoro. Ou você é solteiro ou você é casado. Ponto. Muitos de nós imaginamos que a Bíblia diz algo como: "Olha, pessoal, existe algo chamado namoro, em que não pode tudo, mas pode um pouquinho". Não existe nada assim, de Gênesis a Apocalipse. Pode procurar. O namoro é uma prática cultural que nós inventamos. E, como mera prática cultural, não tem autoridade para desfazer os mandamentos da Palavra de Deus.

O que dá a essa invenção chamada "namoro" o direito de se apropriar do que é próprio do casamento? Por que nós normalizamos que nesse evento chamado "namoro" alguém possa viver um semicasamento de brincadeirinha, um teste para a vida conjugal? Existe algum outro tipo de instituição que permita exceções nos padrões morais de Deus para os relacionamentos humanos? Se o namoro permite que eu beije, apalpe ou transe com alguém que não é meu cônjuge, acaso não poderíamos criar outros elementos culturais semelhantes? Algo que permita a um pai disciplinar fisicamente crianças que não são suas filhas? Ou que permita a um homem exercer liderança sobre uma mulher que não é sua esposa? Ou, até mesmo, algo que crie uma zona possível no qual o ódio se torne positivo? Ora, se o interesse sexual promíscuo deixa de sê-lo se for com a namorada ou o namorado, então podemos inventar algum tipo de relacionamento no qual se dê o mesmo com a violência e o rancor. Isso tudo é absurdo, mas estamos dispostos a aceitar exceções que satisfaçam nossos órgãos sexuais e nossas carências emocionais.

Imagine que você se dirija à minha casa. Eu sou um pastor de igreja, casado e pai de família. Você toca a campainha de surpresa, com alguma demanda urgente. Eu abro a porta, e sai da minha casa outra irmã, também casada. Ela sai, e só ela. Você entra na minha casa e pergunta pela minha esposa e filha, e eu respondo que elas saíram. O que você acharia desse cenário? Com certeza não julgaria normal. Um homem casado em casa sozinho com outra mulher, sem a presença da própria esposa. Você me confrontaria, possivelmente ligaria para minha esposa e conversaria com o presbitério da igreja. Algo muito ruim estaria acontecendo, porque um homem casado não pode ficar sozinho em um ambiente tão privativo com outra mulher casada. Agora, mude o cenário: em lugar de um homem e uma mulher casados, são dois jovens da igreja que se dizem namorados. Para nossa cultura, o cenário seria absolutamente normal. Apenas pais "carrascos" proíbem seus filhos de ficarem sozinhos.

Se você me encontrar no *shopping* beijando uma mulher que não é minha esposa, você acharia isso terrível. Se você encontrar dois jovens da mocidade da sua igreja que não são namorados se beijando no *shopping*, você igualmente não acharia aquilo nada bom. Mas, se adicionarmos o selo "namoro" ao relacionamento, então tudo certo. Veja que contrassenso: eu não posso desejar uma mulher que não seja minha esposa (Êx 20.14-17) e não posso cobiçar no coração, porque isso por si só já seria adultério (Mt 5.28), mas as igrejas dizem que eu posso me sentar no sofá da sala para chupar a língua de uma jovem que não é minha esposa como se fosse a coisa mais normal do mundo. Essa invenção cultural chamada "namoro" parece fornecer liberdades surpreendentes, permitindo a prática do que em outras condições seria pecado, sem que haja qualquer peso na consciência.

Como solteiros se tratam?

Em sua primeira epístola a Timóteo, o apóstolo Paulo instrui seu pupilo, um pastor mais jovem, sobre como tratar os membros da igreja. Em 1Timóteo 5.2, Paulo diz que Timóteo deveria tratar as jovens "com toda pureza, como se fossem suas irmãs". Um jovem pastor agiria com pureza caso desse beijos de língua nas irmãs? Caso falasse sobre suas fantasias sexuais? Caso estivesse constantemente sozinho em ambientes privativos com elas? De maneira nenhuma. Porém, se ele chamasse isso de namoro, estaria culturalmente justificado para muitos de nós.

A forma correta de tratarmos uns aos outros é com pureza. Um homem solteiro trata as mulheres da igreja como se fossem irmãs de sangue — quer essa mulher seja alguém que ele chama de namorada, quer não. Tratar com pureza significa não ter olhar lascivo, não ter intimidade física, não se entregar sem reservas. Uma vez que o namoro não é uma instituição bíblica (apenas o casamento é), então só se deve fazer com o namorado ou a namorada aquilo que se faria com um irmão ou uma irmã. Se dois jovens solteiros são vistos se beijando no *shopping* ou mesmo se abraçando demoradamente no estacionamento da igreja, isso não seria um escândalo sério desde que fossem namorados, e isso está profundamente errado. É trazer para a vida de solteiro os benefícios e as responsabilidades da vida de casado.

Sabe que nome podemos dar para isso? *Imoralidade*. E também podemos chamar muito de nossa cultura de namoro de *prostituição*. Você acha que imoralidade é apenas ver pornografia ou encontrar uma amante? Imoralidade é a satisfação sexual que não acontece com a esposa ou o marido. É como Paulo define imoralidade em sua primeira epístola à igreja de Corinto: "Agora, quanto às perguntas que vocês me fizeram em sua carta, digo que é bom que o homem não toque em mulher. Mas, uma vez que há tanta imoralidade sexual, cada homem deve ter sua própria esposa, e cada mulher, seu próprio marido" (1Co 7.1-2). Paulo está dizendo que ou você se casa ou você não toca em mulher. Para poder tocar em mulher, você precisa se casar com uma mulher; para poder tocar em homem, você precisa se casar com um homem — ou você se casa, ou você não toca. E isso por causa da imoralidade.

Namorados, muitas vezes, acabam vivendo como casados sem o ser ou até sem o saber. Achamos que é coisa de namorado ações e atitudes que cabem apenas a casados. Namoro não é casamento, nem mesmo um petisco dele. Não é uma "escatologia adiantada", que permite algo da vida de casado. Namoro não existe como o entendemos. Você pode concordar que não devemos namorar como o mundo namora, que precisamos de um namoro santo. Mas quão mundano já é o nosso padrão de namoro? Quanta imoralidade já trouxemos para nossos relacionamentos? Por isso devemos temer os padrões de namoro atual: eles são repletos de imoralidade. E, infelizmente, nossas igrejas absorveram muitos dos padrões imorais de namoro.

Vários textos no Novo Testamento nos alertam contra os perigos da imoralidade sexual:

Fujam da imoralidade sexual! Nenhum outro pecado afeta o corpo como esse, pois a imoralidade sexual é um pecado contra o próprio corpo.

1Coríntios 6.18

Que não haja entre vocês imoralidade sexual, impureza ou ganância. Esses pecados não têm lugar no meio do povo santo.

Efésios 5.3

Podem estar certos de que nenhum imoral, impuro ou ganancioso, que é idólatra, herdará o reino de Cristo e de Deus.

Efésios 5.5

Portanto, façam morrer as coisas pecaminosas e terrenas que estão dentro de vocês. Fiquem longe da imoralidade sexual, da impureza, da paixão sensual, dos desejos maus e da ganância, que é idolatria.

Colossenses 3.5

Quando seguem os desejos da natureza humana, os resultados são extremamente claros: imoralidade sexual, impureza, sensualidade, idolatria, feitiçaria, hostilidade, discórdias, ciúmes, acessos de raiva, ambições egoístas, dissensões, divisões, inveja, bebedeiras, festanças desregradas e outros pecados semelhantes. Repito o que disse antes: quem pratica essas coisas não herdará o reino de Deus.

Gálatas 5.19-21

A vontade de Deus é que vocês vivam em santidade; por isso, mantenham-se afastados de todo pecado sexual.

1Tessalonicenses 4.3

Mas os covardes, os incrédulos, os corruptos, os assassinos, os sexualmente impuros, os que praticam feitiçaria, os adoradores de ídolos e todos os mentirosos estão destinados ao lago de fogo que arde com enxofre. Esta é a segunda morte.

Apocalipse 21.8

Do lado de fora da cidade ficam os cães: os feiticeiros, os sexualmente impuros, os assassinos, os adoradores de ídolos e todos que gostam de praticar a mentira.

Apocalipse 22.15

Se nosso modo contemporâneo de namorar é repleto de imoralidade, e se usamos o namoro como um carimbo que disfarça prostituição, precisamos estar muito atentos ao que a Bíblia diz. Se reproduzimos padrões mundanos em nossos namoros, estamos vivendo um tipo de vida que ofende ao Senhor, que nos afasta dele e nos leva para o caminho da destruição. Se você já está namorando, seu coração precisa atentar-se para que seu namoro não seja um instrumento que o afaste de Deus. Infelizmente, muitos casamentos já começam falidos porque já nasceram regados de imoralidade, mesmo que sob a bênção da cultura, dos pais e até de pastores que fazem vista grossa para imoralidades diversas na igreja.

O namoro deveria acabar fácil

Isso tudo significa que, pela própria natureza do que é o namoro, o relacionamento deveria poder terminar a qualquer momento sem que houvesse qualquer prejuízo aos envolvidos. Um casamento é um voto, uma aliança por toda a vida, uma entrega que deve ser cumprida quaisquer que sejam as circunstâncias. O namoro, em contrapartida, é um tempo entre dois solteiros para que se conheçam e decidam se vão entrar ou não nessa aliança.

Namorada não é esposa, namorado não é esposo. O namoro pode terminar a qualquer momento. Se o namoro é esse tempo em que dois solteiros se conhecem, então eles devem entender que é possível que não se casem. Começar a namorar talvez signifique deixar de namorar aquela pessoa em algum momento. Se eu não acho que é possível terminar, então que eu não namore, mas me case logo de vez — um ato meio desesperado e apressado, talvez. Porém, a partir do momento em que o namoro é passível de término, então preciso me proteger do possível término, vivendo um namoro no qual possamos terminar sem prejuízo a nenhum dos envolvidos.

> O namoro é um tempo para conhecer alguém — e não dá para conversar com a língua do outro o tempo todo em sua boca.

O namoro é um tempo para conhecer alguém — e não dá para conversar com a língua do outro o tempo todo em sua boca. Se você está conhecendo alguém, deveria se proteger da decepção. O namoro deveria ser um tipo de relacionamento em que ambos os envolvidos possam sair sem maiores danos. Isso só é possível se não houver no namoro nada que cabe apenas ao casamento. Isto é, os namorados não vivem em situações de intimidade, não põem o outro como centro da própria vida, não trocam *nudes*, não se sentam para se beijar no sofá da sala, não fazem sexo — em vez disso, tratam-se como dois irmãos na fé solteiros que estão se conhecendo e planejando uma vida a dois.

Muitos jovens acabam presos em namoros ruins e sem futuro, fazendo de um casamento infeliz uma tragédia anunciada, simplesmente porque não querem terminar um relacionamento em que já se aproveitaram de prazeres impróprios. Lembro-me de aconselhar uma moça firme nas atividades da igreja que estava sofrendo pelo término do namoro. O ex, também firme nas atividades da igreja, traiu essa moça sucessivas vezes, inclusive com prostitutas. Enquanto eu a aconselhava para que não voltasse para o rapaz, ela lamentou: "Mas, pastor, a gente já viveu tanta coisa juntos!". Parece absurdo olhando de fora, mas quando a pessoa realmente já viveu muita coisa com a outra, ela começa a colocar na balança os lucros e as perdas, concluindo que dói menos reatar com alguém que saiu com prostitutas do que perder toda a história de intimidade já construída.

Não pense que é um exemplo extremo. Versões disso acontecem quando tentamos viver o casamento durante o tempo do namoro, experimentando muito do que não deveríamos ter experimentado — e, consequentemente, aceitando coisas que nunca teríamos aceitado em condições normais. O tempo para conhecer o outro se torna um tempo de se comprometer indevidamente com o outro, um tempo de desfrutar impropriamente do outro.

É ponto comum que crente não pode "ficar", não pode sair por aí beijando indiscriminadamente — ir em uma balada e beijar quatro ou cinco numa só noite. Mas se você conseguir um namorado, pode beijar o quanto quiser, do jeito que quiser, pelo tempo que quiser e com a intensidade que quiser. Não pode esfregar a mão nos seios, mas pode esfregar a língua na outra. Não pode apertar a bunda, mas pode trocar saliva à vontade. Se não chegar ao sexo, pode passar a tarde trocando saliva sem gerar muito desconforto para os membros da igreja.

Se eu puder resumir tudo o que quero dizer até aqui, é o seguinte: namorada não é esposa, namorado não é marido. E namoro não é casamento. É um momento em que solteiros, que deveriam se tratar como irmãos e com pureza, aprofundam relacionamentos e se preparam, caso assim decidam, para se casar. Por isso, você não entrega o coração de modo definitivo a quem não está indo com você para uma jornada definitiva. Você não entrega seu corpo para quem ainda não lhe entregou a vida. Vamos desenvolver o que isso significa ao longo do livro.

Então, como nasce um casamento?

Eu nunca conheci meu sogro. Quando comecei a namorar a Isa, Deus já o havia levado. Ela sempre brincou que, se o pai fosse vivo, eu estaria em péssimos lençóis. A Isa conta que, certo dia, seu pai chamou sua irmã e ela para um canto e disse: "Crente não namora. Vocês não vão namorar". Elas eram crianças e, é óbvio, ficaram desesperadas. Como iriam se casar? Então, ele explicou: "Alguém vai conhecer vocês, vai se interessar, vai vir pedir a mão e vocês vão se casar". Elas olharam uma para a outra e chegaram à seguinte conclusão: "Não vamos nos casar nunca". Afinal, se crente não namora, quem iria querer isso?

Como nasce um casamento? Primeiro, nasce de um interesse. Um jovem solteiro se interessa por uma jovem solteira. Algo nela chama sua atenção. Pode ser a beleza, a personalidade ou — como deveria ser — o caráter biblicamente fundamentado. É alguém que você gostaria de ter ao seu lado. Ou, então, você simplesmente desperta o interesse em alguém. Talvez em quem você nunca tinha imaginado. Do interesse, nasce um compromisso. Esse compromisso pode ser chamado de namoro, corte, amizade intencional, romance real ou qualquer nome brega que os ministérios de pureza tenham ensinado. Você pode chamar de namoro, se quiser. Os dois podem estar interessados, ou apenas um está e o outro tenta dar uma chance.

Com isso se estabelece um compromisso que é basicamente uma amizade com um objetivo. Muito do que se imagina ser motivo para que o namoro se faça necessário é um desconhecimento de que amigos podem fazer compromissos reais de conhecer um ao outro. Ainda assim, eu aconselho a chamar de namoro mesmo. Dá menos trabalho, exige menos explicações e não é preciso mudar o nome caso passe de algum limite imposto por uma nomenclatura (alguns casais dizem que estão "fazendo a corte" e, de um dia para o outro, passam a se apresentar como namorados porque não resistiram e acabaram dando umas bitocas).

Pois bem. Esse compromisso, então, torna-se uma promessa. Os dois começam a namorar, começam a avaliar se podem casar. Já existindo uma amizade prévia, a promessa é firmada. Ela pode ser firmada de forma gradual. Ambos conversam, juntam dinheiro para casar, avaliam se é o que de fato querem; se não for, o namoro termina. Ninguém se agarrou. Ninguém entregou o coração para o outro. Ambos saem sem feridas profundas. Ou, então, há um momento que a promessa aparece. Por vezes, ela se dá em um pedido de casamento, dando início ao noivado. Essa promessa é fruto de conversas que se convertem num desejo real de casar. Então, essa promessa se torna uma aliança. Ambos se casam e firmam o propósito de viver um com o outro por toda a vida. Essa é a forma normal como a coisa é feita na igreja: *interesse, compromisso, promessa, aliança*.

A questão é: o que posso fazer durante esse processo todo? A grande pergunta que está fervilhando na cabeça dos jovens é: "Eu posso beijar, dar uns amassos, fazer sexo?". É isso que vocês querem, porque é isso que eu queria. Antes de responder a esse tipo de pergunta, precisamos lembrar mais uma vez que o namoro é uma criação cultural. Namoro por si só não é algo pecaminoso. Porém, insisto: seu namorado não é seu marido, sua namorada não é sua esposa. E essa é a base para definir o nível de intimidade e de compromisso do tempo de namoro. O casamento nasce de um interesse que se torna compromisso, transforma-se em promessa e se converte em aliança.

Se você já é casado, talvez se lembre de todos os erros que cometeu no seu namoro. Ou talvez você esteja namorando e avaliando a forma como tem feito isso. Talvez esteja solteiro, mas preocupado com as liberdades que terá quando namorar.

A graça maravilhosa permite que muitos casamentos felizes e prósperos nasçam de namoros pecaminosos e destruídos. Deus muitas vezes transforma o mal em bem. Não significa que você escolherá o mal na esperança de virar bem. A Bíblia chama isso de tolice, e de pecado para a morte. Quando olhamos para o passado, temos a confiança de que Deus nos perdoa e pode nos dar um lar sólido apesar dos erros que cometemos. Se nosso presente é de erro, nunca é tarde para se arrepender. Dos seis anos que namoramos, a Isa e eu passamos quase quatro sem nos beijar. Nós sabíamos aonde aquilo nos levaria. Começamos como todo namoro, mas entendemos que aquilo não seria bom para nós. Nunca é tarde para começar práticas melhores no seu namoro e viver uma vida que glorifique mais a Deus.

Pode ser — embora eu espere que não — que você esteja lendo e me odiando profundamente. Seu coração está entristecido, porque você gosta do seu namoro mundano. Gosta de passar um tempo delongado beijando e acredita que não vai passar disso. Está chateado porque esperava completar seus dezoito anos para poder beijar as meninas da escola. É bom que seu coração não seja endurecido para a Palavra da Verdade. A grande pergunta que você tem de se fazer é se o que será dito aqui provém da Palavra de Deus e representa a sabedoria do Senhor. Não é se é opinião de um pastor — não é nisso que você deve fundamentar suas decisões. Nem é se isso é agradável ou desagradável — estou ciente de que é com base nisso que tomamos nossas decisões quando somos jovens. Porém, meu propósito é que você se pergunte: "O que vai agradar a meu Deus, e como posso viver para glorificar o nome de Cristo?". Se custar o namoro, que custe. Será um custo pequeno para a alegria que é construir uma família sólida e viver de modo a glorificar a Deus em todas as coisas.

2
O caminho da prostituição

*Práticas do namoro ímpio
que normalizamos nas igrejas*

Na primeira vez que li o clássico sobre pureza *Eu disse adeus ao namoro*, de Joshua Harris, não consegui ir até o final. Eu era um jovem namorado que queria força para não pecar sexualmente, mas não estava muito disposto a pagar o preço óbvio para conquistar isso. Não estava disposto a levar o tipo de vida que o livro parecia indicar como sendo agradável a Deus no meu namoro. Anos depois, lendo novamente o livro já na condição de homem casado e pai de uma garotinha, percebo como é mais fácil aceitar o que li. Não apenas porque amadureci ou aprendi a dar mais atenção aos argumentos, mas também porque estou lendo algo que não fala de mim. Como não sou mais afetado pelos "pode ou não pode" do namoro e tenho livre acesso ao corpo da minha esposa, e vice-versa, o que quer que o livro diga não me custa nada. Eu reproduzi exatamente o que o autor disse que ele mesmo fez:

> Quando tinha dezesseis anos de idade e estava no meio de um relacionamento que durou dois anos, minha mãe me deu um exemplar do livro *Passion & Purity* (Paixão e Pureza), de Elisabeth Elliot. Imediatamente fiquei desconfiado. Por quê? Em primeiro lugar, por ter sido a minha mãe que me deu o livro. Me dar um livro é o modo, não tão sutil, da minha mãe de me dizer que estou com um problema. Além disso, fiquei

preocupado com as implicações do subtítulo, que dizia: "Colocando a sua vida romântica sob a autoridade de Deus". Tinha certeza que o livro diria que eu não podia beijar a minha namorada (algo que considerava muito vital para a manutenção da minha felicidade naquela época). Então o que eu fiz? Eu decidi, antes mesmo de abrir o livro, que eu discordaria de tudo que o livro tinha a dizer. Como a minha mãe dizia, eu li toda a "paixão" e saltei toda a "pureza". Que erro eu fui cometer! [...]

Por que não aprendi nada naquele momento? Porque eu tinha decidido, desde o começo, que eu não prestaria atenção nela.[1]

É possível que você esteja lendo este livro com esse mesmo espírito. "O que está sendo dito aqui *não pode ser verdade*, porque, se for, eu vou ter de viver uma vida muito mais difícil e sem graça." Aliás, você também deve estar se sentindo enganado, já que está lendo o livro de um pastor jovem — como pode um pastor jovem ser tão retrógrado?

Eu quero convidar você, porém, a não se importar muito com a opinião de pastores ou de denominações. Pessoas têm suas preferências, igrejas têm suas tradições humanas. Eu quero convidá-lo a olhar para as Escrituras e perguntar: "Qual o padrão de Deus para uma vida santa?". Opiniões e ideias surgem aos montes quando falamos de assuntos que não são tema explícito de versículos bíblicos, como é o caso do namoro. Mas a Palavra tem muito a nos dizer sobre o que é correto viver na solteirice, e muito a nos dizer sobre o que é próprio apenas ao casamento. É nisso que devemos fincar nossos pés.

Talvez você continue amedrontado, mas eu lhe garanto que não devemos ter medo do que Cristo diz. Se somos

---

[1] Joshua Harris, *Eu disse adeus ao namoro* (Curitiba: Atos, 2014), p. 10.

cristãos, somos chamados a morrer para esta vida. Viver com Cristo é entregar-lhe tudo o que temos e tudo o que somos. É dizer não a si mesmo e seguir o Crucificado com a nossa cruz nos ombros. Esse Deus salvador nos fala mediante a Bíblia, e por isso precisamos sempre perguntar o que a Bíblia tem a nos dizer sobre uma vida santa. A vontade de Deus é boa, perfeita e agradável, mesmo quando demanda sofrimento e sacrifício. Devemos alegrar-nos de saber como agradá-lo, mesmo quando os padrões de santidade nos cobram uma vida com menos experiências. Nosso conforto não está aqui, mas nele, do outro lado da eternidade. Se ele morreu por nós, devemos estar prontos a dar tudo por ele. Se devemos renunciar a parte das experiências que nos ensinaram que podemos roubar do casamento e viver no tempo de namoro, é pouco pela coroa de glória reservada àqueles que amam a Deus.

Uma teologia bíblica do namoro imoral

É comum que igrejas se oponham à consumação da sexualidade no namoro — a penetração do pênis na vagina — e ignorem todo o trajeto até o ato propriamente dito. Quando estamos no caminho para a prostituição, é porque a prostituição já é o nosso caminho. Pensamos que se prostituir está relacionado apenas ao ato, mas há todo um caminho de prostituição antes de chegar lá. Começa com corações que se erotizam, olhos que passeiam por corpos, e mãos que tocam indevidamente. Entregamos corpo e coração nem sempre para o orgasmo, mas para prazeres sexuais também indevidos fora do ambiente conjugal.

Sabemos que não devemos desejar mulher alheia no coração e que fazê-lo é pecado, e sabemos também que não devemos fazer sexo antes do casamento e que fazê-lo é pecado. O problema é que acreditamos existir um parêntese entre as duas coisas no qual tudo é permitido, e que entre desejar no coração e transar de fato há um espaço de liberdade sexual livre de ofensa a Deus. Preocupar-se com pureza sexual é muito mais que casar virgem. Claro, não é menos que isso, mas envolve muitas outras coisas. Preocupar-se com pureza não se resume a evitar a penetração, mas lida com todo o nosso corpo e, mais profundamente, com todo o nosso ser interior, com o nosso coração. O pecado começa no coração e termina no leito, mas caminha pelos vários membros do corpo. Pureza é muito mais que não encostar corpos, é manter o coração guiado pelos valores da graça.

Prostituição no coração

A prostituição começa no íntimo, no coração. Namoros ímpios são namoros que falham em cuidar daquilo que temos dentro de nós. Como disse Jesus: "Vocês ouviram o que foi dito: 'Não cometa adultério'. Eu, porém, lhes digo que quem olhar para uma mulher com cobiça já cometeu adultério com ela em seu coração" (Mt 5.27-28). O desejo de posse física por alguém já é algo pecaminoso que acontece no coração. A vontade de uso do outro é uma lascívia no coração que já é pecaminosa mesmo sem qualquer ato correspondente.

O texto não fala sobre achar uma pessoa bonita ou mesmo sobre possuir desejos sexuais de modo geral, mas fala de um olhar com cobiça, de alimentar um desejo de posse. O estímulo dessa vontade já é uma lascívia praticada, ainda que a pessoa não encoste na outra. Mesmo sem acontecer fisicamente, o pecado já aconteceu no coração. Muitos de nós que nos casamos virgens nos casamos com o coração bastante prostituído. Casamentos que nascem em um berço de pureza não são apenas nascidos em virgindade, mas também em purificação das vontades.

A cultura de namoro acaba disfarçando muito bem esse pecado. Se é sua namorada, então alimentar certos desejos não consumados parece menos grave. "Não é óbvio que namorados devam sentir atração física um pelo outro?", perguntam nas caixinhas do Instagram. Confunde-se sentir atração física por alimentar repetidamente um desejo de posse, como se daí não fosse nascer nada. Nossos atos reproduzem o que alimentamos em nosso interior. Se queremos namoros santos, sem deixar que Satanás destrua casamentos já no nascedouro, precisamos evitar alimentar vontades más de nosso interior.

Prostituição nos olhos

Do coração, a prostituição passa para os olhos. O relacionamento santo de Jó com os outros afetava aquilo para onde ele olhava e não olhava. As Escrituras testemunham sobre Jó, dizendo que ele era "homem íntegro e correto", que "temia a Deus e se mantinha afastado do mal" (Jó 1.1). O próprio Senhor proferiu que não havia "ninguém na terra como ele" (v. 8). Conhecendo as qualidades que Deus entregou a esse servo, vemos um exemplo delas no capítulo 31 do livro que conta sua história. Jó, expondo as próprias obras de justiça, diz que fez um pacto consigo de nunca usar seus olhos como instrumento de lascívia: "Fiz uma aliança com meus olhos de não olhar com cobiça para nenhuma jovem" (31.1).

A prostituição não é um ato exclusivo das genitálias. Nossos olhos também podem ser usados para a prostituição. Sim, olhar arranca pedaço — não dos outros, mas certamente de nosso relacionamento com Deus. Como homens crentes, somos treinados para que, caso algo que desperte nosso desejo de posse surja no campo de visão, imediatamente olhemos para o outro lado. Se a primeira olhada é coincidência, a segunda é concupiscência. Para isso, oramos como o salmista: "Não porei coisa má diante dos meus olhos" (Sl 101.3, RC). A nudez que não é a do cônjuge é coisa má, é algo que não deve ser posto diante dos olhos.

Infelizmente, a cultura do namoro disfarça muito bem esse pecado. Namorados se permitem formas de olhar para o outro que não representam os padrões bíblicos de pureza. Porém, o namoro não é um salvo-conduto para olhar o que não se deve ou de modos que não se deve. Nunca o olhar lascivo é permitido na solteirice. No namoro, desculpamos formas de olhar que são próprias apenas ao matrimônio.

Prostituição na língua

A prostituição dá um passo além e sai dos olhos para a língua:

> Que não haja entre vocês imoralidade sexual, impureza ou ganância. Esses pecados não têm lugar no meio do povo santo. As histórias obscenas, as conversas tolas e as piadas vulgares não são para vocês. Em vez disso, sejam agradecidos a Deus.
>
> Efésios 5.3-4

Você já ouviu as conversas de banheiro masculino de uma faculdade? Homens se gabam das maiores imoralidades. Gracejos indecentes e propostas indecorosas também acabam fazendo parte dos diálogos entre namorados. Pedidos de *nudes* pelo WhatsApp, requerimentos sexuais pornográficos, sussurros que, se ouvidos pelos pais no quarto ao lado, forçariam o fim do relacionamento. O desejo do coração acaba se tornando linguagem.

O namoro muitas vezes permite um tipo de linguagem que não é conveniente a ninguém que é solteiro. Muitas vezes me perguntam qual o melhor momento para namorados conversarem sobre vontades e preferências sexuais. A resposta é simples: provavelmente nunca. Pelo menos, nunca de modo desimpedido e desacompanhado. Com um conselheiro, em um curso de noivos, há um ambiente para conversas mais francas. Sozinhos, no entanto, raramente é boa ideia.

Dentro do namoro, não deveria existir liberdades para falar de fantasias. Algumas moças, no afã de tentar motivar o namorado a esperar até o casamento, prometem mundos e fundos, e o resultado é atiçar ainda mais o que deveria se restringir ao âmbito matrimonial.

Prostituição na boca

Da língua, então, o pecado sexual toma conta da boca inteira. Há no livro de Provérbios um texto muito importante que relaciona os beijos dados de forma desmedida com o comportamento da prostituta:

> A mulher se aproximou dele,
>   com roupas provocantes e coração malicioso. [...]
> Abraçou o rapaz e o beijou [...]
> Assim ela o seduziu com palavras agradáveis
>   e com elogios doces o atraiu. [...]
> Não deixe que seu coração se desvie para ela,

> não se perca em seus caminhos tortuosos.
> Pois ela causou a ruína de muitos;
> não são poucas as suas vítimas.
> Sua casa é o caminho para a sepultura,
> seu quarto é a câmara da morte.
>
> Provérbios 7.10,13,21,24-27

Uma das características da mulher adúltera é que ela encontra e beija. Usa a boca de modo negativo e apressado. O beijo não foi feito para ser a consumação de um desejo ardente do coração diante de alguém que nos atraiu fisicamente. Muitas vezes, quando gostamos de alguém, já queremos selar esse sentimento usando os lábios. Aquela cena romântica, de duas pessoas que se gostam aproximando os rostos num pôr do sol espelhado no mar sereno não representa aquilo que o cristianismo considera belo e moral. Esse é um caminho que leva à morte.

Os filmes adolescentes formam nosso imaginário do que é romântico. Como, por exemplo, em *A culpa é das estrelas*, em que adolescentes fazendo sexo parece algo natural. Muitos foram vítimas desse caminho, diz o texto de Provérbios. Envolver-se em práticas que só seriam sagradas no contexto de compromisso e entrega faz com que não poucos entrem no caminho da miséria moral. O livro de Provérbios está se posicionando abertamente contra a possibilidade de sair beijando qualquer um, de se entregar a muitos lábios. Com frequência, crentes acham que pular de namoro em namoro é uma maneira religiosamente justificada de beijar pessoas diferentes, mas o princípio de Provérbios ainda se aplica. Essa é uma casa que leva à sepultura, à câmara da morte — na linguagem do Antigo Testamento, trata-se de uma referência ao inferno. É um caminho de pecado e condenação.

Pois os lábios da mulher imoral são doces como mel,
 e sua boca é mais suave que azeite.
No fim, porém, ela é amarga como veneno
 e afiada como uma espada de dois gumes.
Seus pés descem para a morte;
 seus passos conduzem direto à sepultura.
Pois ela não se interessa pelo caminho da vida;
 não se dá conta de que anda sem rumo por uma trilha tortuosa.

Provérbios 5.3-6

O texto não fala do corpo ou do sexo da mulher imoral. O texto fala de seus lábios. Sua boca destila mel — é bom demais, uma delícia. Ninguém nega que beijos são agradáveis, o que não podemos ignorar é que se trata de um caminho que conduz direto à sepultura da fé. A mulher nem percebe que anda por esses caminhos. Acha que as coisas devem ser julgadas pelo que sentimos ao praticá-las. Beijar é bom, então só pode ser aprovado por Deus. Não é assim, porém, que julgamos nossa vida. Coisas gostosas podem nos levar para longe de Deus.

Em Cântico dos Cânticos, há um poema interessante sobre isso. Esse não é um livro, como alguns dizem, sobre Jesus e a igreja, mas sobre um noivo e uma noiva que se prometem um ao outro. O noivado, na cultura judaica, já era um tipo de casamento (terminar o noivado, consequentemente, constituía um divórcio), mas ainda sem interação sexual. No cântico, a Sulamita escreve para seu noivo: "Quem dera você fosse meu irmão, amamentado nos seios de minha mãe. Então eu poderia beijá-lo publicamente, e ninguém me criticaria" (Ct 8.1).

Parece estranho ela desejar que seu noivo fosse seu irmão para que ela pudesse beijá-lo, mas isso é fácil de entender se considerarmos que naquela época o "selinho" era prática comum entre irmãos, familiares de forma geral e amigos íntimos. Era um tipo de abraço para a cultura judaica (e para muitas culturas posteriores). O "ósculo santo" da igreja primitiva podia incluir o encostar de lábios — um beijo que tinha um sentido de intimidade, não de interesse sexual. Não se beijava desconhecidos ou mesmo futuros parceiros de casamento. Isso era restrito normalmente à esfera familiar. Assim, a Sulamita ansiava tanto beijar seu noivo, já quase marido, que desejava que ele fosse irmão dela só para poder lhe dar um selinho. Aqui, o beijo está associado intimamente ao contexto familiar, seja como irmão, seja como marido. Esse é um texto importante para falar sobre o papel dos beijos, até mesmo nos namoros de hoje. Doente de amor, já casada com Salomão, mas esperando o momento da consumação do casamento, a Sulamita queria dar um selinho em Salomão, mas nem isso podia fazer. Aquele desejo só poderia ser satisfeito quando o casamento se consumasse.

Há uma sabedoria a ser considerada com cuidado nos principais contextos relacionados ao beijo no Antigo Testamento. Em dois deles, o beijo está relacionado à prostituição quando desferido sem reservas, e no terceiro caso está relacionado ao contexto familiar, quando feito apropriadamente. Como trataremos as jovens "com toda pureza, como se fossem suas irmãs" (1Tm 5.2), se as beijamos sem que elas sejam nossas esposas?

O beijo não é um problema apenas pelo que ele representa em si, um uso indevido do corpo do outro. Ele também abre portas para os outros caminhos do pecado. Num restaurante, a entrada visa abrir o apetite para o prato principal. Às vezes, quando estamos sem dinheiro, podemos pedir uma entrada e nos saciarmos com ela, mas é comum que acabemos estourando o limite do cartão com refeições que não cabiam em nosso orçamento. A frequência, a intensidade, o tempo e o ambiente dos beijos podem levar à desgraça. A Sulamita desejava ardentemente beijar Salomão, mas não o fez por prudência e santidade. Ela não queria acender os desejos do coração usando os lábios de forma imprudente. O beijo não é apenas pecado. É também o caminho para iniciar outros pecados sexuais.

Você pode estar lendo este texto e pensando: "Para ele é fácil falar, ele está casado. E eu? Estou solteiro e não posso nem beijar?". Eu entendo esse sentimento. Quando comecei a namorar a Isa, eu tinha quinze anos. Era de uma igreja sem muito ensino e padecia com pouquíssima instrução. As únicas regras sobre namoro é que precisávamos passar três meses em "amizade especial", que era um tempo de oração antes de oficializar o namoro. Depois disso, basicamente só não podia fazer sexo. Toques em partes íntimas era tacitamente reprovado, mas raramente comentado. O inimigo mesmo era o sexo em termos de penetração. Com dois anos de namoro, a Isa e eu chegamos a uma conclusão que ninguém à nossa volta parecia ter se importado em nos adiantar: se continuássemos nos beijando do modo e com a frequência que fazíamos, jamais conseguiríamos permanecer virgens até o casamento. Então, decidimos parar de beijar. Simples assim. Na época, nem entendíamos o beijo como pecado, mas estávamos muito

> O beijo não é um problema apenas pelo que ele representa em si, um uso indevido do corpo do outro. Ele também abre portas para os outros caminhos do pecado.

convictos de que era impossível permanecer beijando livremente sem que, muito em breve, estivéssemos enfiados até o pescoço na imoralidade.

Muitas vezes, é melhor renunciar ao beijo no namoro a fim de parar de andar na beira do mundanismo, tentando ser santos o bastante apenas para não ir para o inferno e não engravidar, em vez de pensar em como poderíamos ser o mais santos possível em nossos relacionamentos, por amor ao Senhor e pelo poder do Espírito. Não deveríamos nos aproveitar dos limites torpes que a cultura nos dá quando estes limites estão além do caminho de Deus. Seu primeiro beijo deveria ser no altar do casamento.

Uma moça tinha um "*web* namorado", e eles iriam se encontrar pessoalmente pela primeira vez. Ambos estavam suando de ansiedade. Pelo menos, posso falar por ela. Ela suava enquanto contava das expectativas do encontro. Eu conheço um pouco a cabeça dos rapazes — não faz tanto tempo assim que fui um jovem de igreja — e fiquei preocupado com alguns detalhes das histórias que ela contava. Nem sempre os pastores sabem explicar o exato motivo, mas há uma sensação estranha em nosso cérebro quando algumas informações não parecem levar a um bom lugar. Nesses cenários, o melhor é ficar atento. Então, fiz um pequeno desafio: "Você teria coragem de ir a esse encontro e não dar nenhum beijo na boca dele?". Ela corou de vergonha. Falei que queria testar as intenções dele. Ela disse que parecia uma boa ideia, mas me enviou uns *prints* no WhatsApp mais tarde. Para ele, tratava-se de um cenário inconcebível. Aparentemente, ele a convenceu da absoluta necessidade do beijo para que o encontro fosse uma boa experiência. Então, em um mês, lá estavam eles se beijando — e, em seis meses, o namoro estava acabado. Claro que não foi o beijo que acabou com aquele namoro, mas, com o fim do relacionamento, mais um par de lábios sorvido em desejo foi para a conta. Lábios que, depois, se tornaram de outros (ambos se casaram posteriormente com outras pessoas).

Alguns jovens têm vergonha de nunca terem beijado, como se fossem seres inferiores. Enquanto pessoas do mundo se vangloriam de quantos parceiros tiveram e de quão cedo perderam a virgindade, os cristãos são regidos por outros padrões. Santidade é honra e graça. Castidade é privilégio. O cristão se casa melhor ao se experimentar menos antes do matrimônio. Nós vivemos nos valores do reino, entregando a vida a Deus. No casamento, encontramos o ambiente do desfrute do corpo do outro. Até lá, porém, guardamos o corpo em pureza.

Prostituição nas mãos

A prostituição que começou no coração, passou para os olhos, saiu pela língua e se manifestou na boca, agora passa para as mãos:

> Filho do homem, havia duas irmãs, filhas da mesma mãe. Elas se tornaram prostitutas no Egito. Quando ainda eram meninas, deixavam que homens acariciassem seus seios.
>
> Ezequiel 23.2-3

O texto é muito simples. Deus está narrando para Ezequiel a história de duas irmãs por parte de mãe que se entregaram à prostituição nas terras egípcias, mesmo quando ainda jovens. Trata-se, é verdade, de uma metáfora para as alianças que o povo de Deus, representado pelas cidades de

Samaria e Jerusalém — as "duas irmãs" —, havia feito com nações pagãs. Mas o ponto principal a destacar aqui sobre a prostituição daquelas moças é que "deixavam que homens acariciassem seus seios". Muitas vezes acreditamos que, enquanto não rolar sexo, não há nada de errado com o nosso namoro. No entanto, o passeio das mãos pelo corpo já representa uma sexualidade prostituída. O Senhor trata os "toques" de um namorado como um ato de prostituição, e deveríamos lutar contra isso assim como lutamos pela virgindade ou por namoros santos. Às vezes, temos orgulho de ainda sermos virgens, mesmo que nos entregando a prostituições outras.

Toques também são tratados como distintivos do casamento. Em Gênesis 26, Isaque teme que alguém o mate para tentar tomar sua esposa para si, por isso mente e diz a todos que sua esposa era, na verdade, sua irmã (ela era irmã em um sentido bem geral, porque era do mesmo povo). Como a mentira cai por terra?

> Algum tempo depois, porém, Abimeleque, rei dos filisteus, olhou pela janela e viu Isaque acariciar Rebeca. No mesmo instante, Abimeleque mandou chamar Isaque e exclamou: "É evidente que ela é sua mulher! Por que você disse que era sua irmã?"
>
> Gênesis 26.8-9

Ou seja, um homem acariciando sexualmente uma mulher só podia ser interpretado como uma relação de matrimônio.

Infelizmente, a nosso ver está tudo bem adiantar aquilo que pensamos ser um futuro irrevogável. Sempre achamos que a pessoa tal é a predestinada, com quem certamente nos casaremos. Então, se nós nos amamos, se queremos nos casar e ficar juntos para sempre, qual o problema de já aproveitar um pouco agora? Esse é o engano que faz com que muitos se entreguem à prostituição. A maioria que adianta o que é próprio tão somente ao casamento está desfrutando do marido de outra mulher ou da esposa de outro homem. Quando ele ou ela se casar no futuro com outra pessoa, você terá usufruído de alguém que não lhe pertencia. "Mas se eu não deixar, ele vai me largar", alguma moça poderia dizer. Então que largue! Nenhum homem de Deus pode requerer a prostituição do seu corpo para permanecer ao seu lado. Um namorado ou namorada lascivo não é certeza de um casamento sexualmente intenso, mas sim de uma prostituição permanente que desgraça a vida conjugal. Não devemos usar o pecado para manter relacionamentos. Em lugar de famílias fundadas na rocha, teremos famílias cujo fundamento será a areia da imoralidade sexual. A traição já começa no namoro, quando o namorado ou a namorada não consegue se conter sexualmente para o momento correto. O relacionamento com Deus é mais importante que qualquer relacionamento humano.

Prostituição consumada e aplicada

É daí que a prostituição toma conta do corpo todo. O autor de Hebreus fala do meretrício em termos bem mais amplos: "Venerado seja entre todos o matrimônio e o leito sem mácula; porém aos que se dão à prostituição e aos adúlteros Deus os julgará" (Hb 13.4, RC). Temos uma clara ordem para venerarmos, isto é, prestarmos honras a dois ambientes sexuais intercambiáveis. Primeiro, o matrimônio; segundo, o leito sem mácula. Esses dois momentos sexuais parecem ser sinonímicos, referindo-se à mesma coisa. Uma cama imaculada é aquela que abriga os cônjuges. Há mácula, desonra, em uma cama que suporta o sexo de duas pessoas não unidas pelo casamento. Clarificando isso ainda mais, o autor bíblico expõe que Deus julgará os que vivem uma sexualidade oposta ao que deveria ser honrado, ou seja, os que vivem em prostituição e adultério. Matrimônio é contrastado com prostituição, e leito sem mácula, com adultério.

Quando adulteramos, ou seja, quando traímos o cônjuge, pecamos contra o leito sem mácula, o leito de um casal devidamente casado. Toda relação sexual fora do leito conjugal é um adultério. As atividades sexuais fora do matrimônio são igualmente consideradas um ato de prostituição. Todo sexo que não ocorre dentro de um casamento é uma atitude prostituta — e digna do julgamento de Deus. Quando Paulo diz: "Fujam da imoralidade sexual! Nenhum outro pecado afeta o corpo como esse, pois a imoralidade sexual é um pecado contra o próprio corpo" (1Co 6.18), ele está se referindo justamente ao sexo que acontece fora do matrimônio.

Em 1Coríntios 7.8-9, o apóstolo fala sobre onde nossos desejos sexuais serão satisfeitos: "Portanto, digo aos solteiros e às viúvas: é melhor que permaneçam como eu. Mas, se não conseguirem se controlar, devem se casar. É melhor se casar que arder em desejo". O raciocínio de Paulo é bem simples. Ele está argumentando sobre a possibilidade de solteiros e viúvas abraçarem o celibato, isto é, o não casamento. Em meio ao seu ensino, ele deixa um conselho curto e importantíssimo sobre desejo sexual. Mesmo que ansiasse que aquelas pessoas não se casassem, ele sabia que alguns iriam sentir fortes desejos, correndo o risco de não conseguir "se controlar". O que essas pessoas deveriam fazer? Que atitudes deveriam tomar aqueles que não têm força para conter sua sexualidade? Masturbação? Pornografia? Uns "pegas" na namorada? Nada disso. Paulo só apresenta duas escolhas para os que não conseguem vencer seu desejo: ou casa ou "arde em desejo" — "abrasa-se", como trazem algumas traduções. O texto é bem claro, embora nem sempre o leiamos com a atenção devida. Você, jovem, tem desejos sexuais incontroláveis? Sente-se um poço de luxúria a ponto de explodir de vontade? A Bíblia só lhe permite fazer duas escolhas: ou continuar assim ou casar-se — suprindo todo o seu desejo do modo que Deus ensinou.

Em 1Corintios 7, encontramos um dos textos sobre casamento mais fortes já escritos por Paulo. Ele fala da união sexual dentro do casamento como uma abdicação da posse do próprio corpo, uma das coisas mais belas que podemos conceber no casamento. Homem e mulher renunciam à posse de si, daquilo que há de mais sério que é a própria fisicalidade, e se entregam ao outro. Ambos são total e absolutamente dependentes um do outro para encontrar prazer sexual. É o tipo de entrega que é impossível fora do casamento, fora de um relacionamento no qual existe esse tipo de compromisso. Muitas vezes, o que acontece é que mulheres entregam o corpo a homens que não lhes entregaram a vida.

É impossível não ser usado ou usada como mero objeto sexual se está transando fora do casamento, porque é apenas dentro do matrimônio que existe abdicação da posse de si. Fora do casamento, você ainda é seu e entra na relação sexual buscando apenas o seu prazer e a sua alegria. Todo sexo fora do casamento é usar o outro, inescapavelmente. Você está sendo usado, você está sendo usada — sempre. Não existe, de fato, sexo antes do casamento. Há apenas masturbação com o corpo do outro. A entrega da vida é o ninho do sexo saudável. Não entregue seu corpo para quem não lhe entregou a vida.

Namoros ímpios pecam contra toda a Trindade

O mundo tem dificuldade de aceitar que Jesus é melhor que sexo, mas ele é. Podem zombar de nós, podem no melhor cenário nos dar uns tapinhas nas costas romantizando a castidade, mas apenas quem vive a vida da fé sabe que existe muita luta e batalha na santidade. A vida real é uma luta diária e constante contra os impulsos de nosso próprio interior. Não é fácil, eu sei. Mas uma vida santa e pura, rejeitando até os petiscos de casamento que boa parte da cultura de namoro cristão aceita, significa honrar o Pai, o Filho e o Espírito Santo.

Unindo Jesus ao pecado sexual

Paulo é um homem de declarações fortes. Se estivesse nas redes sociais, seria chamado de polêmico. Provavelmente encontraria desconfortos com o corpo pastoral da igreja por declarações que lembrariam mais o estilo de Nelson Rodrigues do que a liquidez necessária para não ofender ouvidos modernos. É o tipo de coisa que encontramos, por exemplo, em sua argumentação contra o sexo fora do casamento:

> Vocês não sabem que os seus corpos são membros de Cristo? Tomarei eu os membros de Cristo e os unirei a uma prostituta? De modo nenhum! Vocês não sabem que aquele que se une a uma prostituta é um corpo com ela? Pois, como está escrito: "Os dois serão uma só carne". Mas aquele que se une ao Senhor é um espírito com ele.
>
> Fujam da imoralidade sexual. Todos os outros pecados que alguém comete, fora do corpo os comete; mas quem peca sexualmente, peca contra o seu próprio corpo. Acaso não sabem que o corpo de vocês é santuário do Espírito Santo que habita em vocês, que lhes foi dado por Deus, e que vocês não são de

si mesmos? Vocês foram comprados por alto preço. Portanto, glorifiquem a Deus com o corpo de vocês.

1Coríntios 6.15-20, NVI

A argumentação é forte. O fraseado é quase blasfemo. Paulo quer mostrar a gravidade do pecado através da gravidade retórica. "Tomarei eu os membros de Cristo e os unirei a uma prostituta?", ele pergunta. Isso parece uma pergunta louca. Ele está dizendo que, se somos corpo de Cristo, transar com alguém que não é o cônjuge é fazer com que a fisicalidade terrena de Jesus, que é a igreja, cometa lascívia. Claro que não é o que acontece literalmente. Jesus não se deita com a prostituta, nem une seus membros de forma sexual com quem quer que seja, mas é exatamente aí que mora o absurdo que a retórica paulina procura evocar. É grotesco imaginarmos a união sexual entre Cristo e a prostituta, e devemos ter asco dessa imagem — o mesmo asco que devemos ter pelo pecado sexual. Há grande pecado contra aquilo que Jesus fez de nós quando nos portamos pecaminosamente através de nosso corpo. É como levar Jesus para a cama. Um casal de namorados que peca sexualmente não está vivendo um belo romance de filme. Está profanando o corpo do Crucificado. Devemos sentir terror diante do pecado sexual e da grandeza de sua maldade.

Esfregando-se na imagem de Deus

Compreender que o homem e a mulher foram criados como reflexo da imagem de Deus, à semelhança da Trindade, deveria afetar o modo como valorizamos os corpos, seja o nosso, seja o dos outros. Dar-nos ao desfrute de qualquer descompromissado que tente acessar nosso corpo é transformar Deus em petisco. Ao beijar um desconhecido na balada, beijamos alguém dotado da mesma imagem que carregamos, e juntos corrompemos ainda mais o que de divino permanece em nós. Os quartos de hotel se tornam, assim, altares para o sacrifício da glória de Deus. Apalpamos o corpo e esmagamos a imagem divina. Desse modo, toda aventura com quem mal se conhece é uma dupla ofensa contra a revelação da Trindade em dois corpos que não se pertencem, mas que prestam contas ao mesmo Criador. Reconhecendo a imagem de Deus em si, não permita que outros usem você de forma errada, pois permiti-lo seria permitir que corrompam a imagem do Divino; reconhecendo a imagem de Deus no outro, não se permita abusar dele, ainda que com consentimento. "Ficar" é mais que um problema de relacionamento, é um desconhecimento da santidade do corpo que nossas mãos e lábios tocam. Tomemos cuidado ao encostar em quem quer que seja. Uzá morreu ao tocar inapropriadamente na arca santa do Senhor (2Sm 6.7).

Cabaré do Espírito

Paulo ainda diz que "quem peca sexualmente, peca contra o seu próprio corpo. Acaso não sabem que o corpo de vocês é santuário do Espírito Santo que habita em vocês, que lhes foi dado por Deus, e que vocês não são de si mesmos?" (1Co 6.16-19). É triste que um casal de jovens da igreja se entregue sexualmente antes do casamento, mas há um escândalo maior se isso acontece nos bancos do prédio da igreja, depois do culto, quando todos foram embora. Nosso corpo é um local de culto, um ambiente santificado para a habitação do Espírito de Deus. Em vez disso, tratamos o corpo como se fosse casa de prostituição, ofendendo aquele que em nós habita. O que fazemos da casa de Deus?

Lidando com o passado

O passado sexual nos afeta, e afeta profundamente. Às vezes imaginamos que nossos atos são contidos e ficam naquele lugar de intimidade, mas não é o caso. Muitos de nós têm um histórico repleto de pecado. Como enxergamos o que já foi?

Traindo por antecipação

Uma vez no caminho da prostituição, acabamos pecando contra aquele que será nosso parceiro afetivo no futuro por não termos nos guardado para ele. Se adultério é relacionar-se com quem não é seu cônjuge, sempre que você, mesmo solteiro, beija alguém que não é seu marido ou esposa, está cometendo um tipo de traição. Claro que não é uma traição no sentido formal, mas é uma traição de algum modo semelhante ao adultério que é cometido no coração quando se deseja quem não lhe pertence. Jesus diz que "todo aquele", não só os casados, que olhar para uma mulher com cobiça já cometeu em seu coração adultério com ela (Mt 5.28). Além disso, prostituição e adultério aparecem sempre estreitamente relacionados no Novo Testamento. Parece que a indicação bíblica é que, ao enfim encontrar seu cônjuge, você já o traiu por antecipação, porque não se guardou apenas para ele, tendo entregado os lábios ou mesmo o corpo para outras pessoas.

É por isso que certos casais sempre acabam conversando no namoro sobre suas antigas relações afetivas, e alguns sofrem até mesmo de certa obsessão sobre a vida sexual pregressa do outro. Não é comum que alguém não se importe e nem sequer se sinta de algum modo ofendido ao tomar conhecimento do que o namorado ou a namorada fez no passado com outros parceiros. Longe de ser ciúme doentio, trata-se de sentimento comum de quem entende subconscientemente que o outro não pecou apenas contra Deus, contra si e contra o ex-parceiro, mas também contra o futuro cônjuge, que não foi respeitado como tal.

Umas das oportunidades mais desafiadoras da minha vida está em dar aula em salas com apenas quatro ou cinco alunos. Ainda que o seminário onde lecionei tivesse também turmas enormes, outras eram diminutas. Estas, longe de desmotivar, cobram desafios muito maiores, já que é possível tomar parte em diálogos com os presentes em tal nível que seria impossível em grupos maiores. Certa vez, uma das alunas contava sobre as dificuldades que encontrou em seu noivado, que estava por um fio. Emocionada, interrompeu minha explicação sobre as relações entre exegese grega e teologia sistemática para chorar em voz alta e desabafar. Contou que o noivo mentiu sobre a vida sexual pregressa, e ela, virgem, não só se sentia enganada, mas também traída. Na época, concordei com a maldade da mentira, mas questionei a razão de ela enfatizar tanto a dor sobre a vida passada dele. Em algum momento da conversa, perguntei:

— Mas ele fez algo contra você?

Ao que ela respondeu de bate-pronto:

— Claro, ele me traiu.

— Mas ele nem era seu namorado na época — continuei, meio confuso com aquela declaração brusca. A resposta, entre lágrimas e soluços, tocou a pequena turma:

— Mas ele se deitou com outras mulheres que não eram a esposa dele, e adulterou contra aquela que seria sua esposa. Se vou me casar com ele, já caso traída.

A linguagem da aluna era bem forte e talvez um pouco exagerada, motivada pelo agravamento da situação decorrente da mentira que encobria o passado, mas refletia um sentimento até certo ponto justo. Antes do casamento, você busca alguém para estabelecer um pacto relacional. Ao viver aquilo que seria corruptivo ao pacto antes mesmo de estabelecê-lo, você assume uma "escatologia adiantada", em que ofende a pureza do pacto que será estabelecido. É como rasgar os bancos do carro na loja de forma que não possam ser remendados só porque o automóvel ainda não tem comprador, e esperar que o futuro interessado no carro não considere aquilo relevante. Você precisa se proteger nesse período de solteirice para que não avance além daquilo que é próprio ao tempo de solteiro. Algumas moças oram enquanto solteiras pela vida do futuro marido, mesmo sem conhecê-lo ainda, enquanto alguns rapazes juntam recursos para quando encontrarem uma namorada decidida a casar-se logo. Por que não viver em santificação e não entregar seu corpo para quem não será seu marido ou sua mulher?

Em geral, não enxergamos as coisas dessa forma porque imaginamos que o passado é desimportante na formação do indivíduo. O que passou, passou. Mas o que você faz forma você, de modo que seus erros pregressos são em certa medida responsáveis por quem você é hoje. Se você fumou muito antes de ser cristão ou no começo da conversão, você é perdoado de seu pecado, mas seu pulmão carregará os danos causados pelo cigarro. De igual modo, ninguém volta a ser virgem, ninguém retorna pelo caminho do conhecimento do corpo alheio. Toda experiência sexual ou mesmo pré-sexual fará parte de você pelo resto de sua vida. A graça de Cristo nos limpa do efeito espiritual do pecado em nosso relacionamento com Deus, e devemos ser tocados pelo Espírito para conseguir perdoar os erros pregressos de nosso atual cônjuge ou candidato a tal. Ainda assim, os erros nos acompanham para sempre.

Eu já pensei diferente, mas não creio que seja necessariamente maldade desistir de namorar ou casar com alguém em vista da vida libidinosa dessa pessoa no passado. Por que razão um jovem que rejeitou os convites ao pecado sexual, guardou o corpo para o casamento, venceu a pornografia e manteve o coração longe da lascívia deveria ser julgado por querer se casar com alguém que fez o mesmo? Eu acho bobo desprezar sensibilidades alheias sobre passado sexual. A moça se guarda, rejeita investidas (mesmo com vontade), permanece casta, mas não pode rejeitar um pretendente que ano passado estava pegando geral porque algumas esclarecidas mentes modernas não deixam. "É só passado, mulher." Sua sensibilidade é diferente? Seu marido ou esposa ter um histórico de orgasmos com outras pessoas não ofende você? Amém. Mas não pense que é santo ou mais crente por isso. Eu acho muito feio o modo como uns moleques cheios de hipocrisia cobram virgindade de pretendentes ao casamento, mas quanto de nossa defesa das moças que não são mais virgens não é fruto da normalização do pecado, como se perder a virgindade não significasse grande coisa?

Claro que há muitos aspectos sobre essa questão, mas se muitos namoros terminam porque personalidades e expectativas quanto ao futuro são incompatíveis, qual o motivo de namoros não poderem terminar porque um possui tal experiência de sexualidade a ponto de afetar o relacionamento, principalmente se a questão não é tratada devidamente? É verdade que isso pode ser motivado por um coração legalista incapaz de perdoar, ou mesmo por um senso de superioridade moral diante de Deus, mas também pode ser nada mais que o desejo de não levar para o próprio casamento um histórico de comparativos sexuais ou de experiências passadas que podem manchar a relação futura. Você, que respeitou o futuro parceiro, não precisa se sentir obrigado a estar com quem não se guardou em honra a você. Pela graça de Deus, já vi o Senhor unir casais bem distintos, em que um dos parceiros havia tido uma vida dissoluta e em que ambos aprenderam a perdoar os erros passados do outro e a viver com graça a alegria. Deus pode transformar o mal em bem, e o amor pode ser um instrumento para vencer qualquer coisa. É importante, porém, que cada um cuide para não ofender o homem ou a mulher que será seu parceiro no futuro.

São muitas as implicações desse assunto. Repito que ninguém deve se julgar superior ao outro apenas por ser virgem, e que uma história de relacionamento frutífero e fiel não deveria ser destruída em razão de um erro passado que já foi superado. A graça do evangelho pode sobrepujar os efeitos de muitas das bobagens que cometemos, e a virgindade não pode ser um fator acima de todos os outros na escolha de um cônjuge.

Perdão retroativo

É importante saber perdoar o passado de quem soube deixar seus erros para trás. Alguém que levou uma vida de erros, principalmente se foi antes de ter encontrado a Cristo como

Salvador, e então abraçou o perdão da cruz não pode mais ser definido pelo que viveu previamente. Ainda somos nosso passado, mas não somos apenas nosso passado. Tornou-se famosa a ilustração do casamento na qual o marido está de mãos dadas com a esposa e com todas as suas ex no altar. Cada mulher com quem você se relacionou estará lá, com você; cada homem que você namorou estará ao seu lado, no altar. Você só poderá dar parte do seu coração, já que o dividiu com outros ou outras anteriormente. É uma imagem forte e razoavelmente exagerada. André Costa, vocalista do CantoVerbo (ouça, são ótimos!), uma vez escreveu numa rede social: "Você não domina o passado de alguém, não lhe pertence. Você pode apenas se relacionar com o presente de alguém! O ponto é: o quão presente é aquele passado?". É uma grande forma de enxergar a vida.

Um amigo que teve uma vida sexualmente ativa antes de conhecer a Cristo começou a namorar uma moça que nunca tinha namorado antes. Depois de um tempo, eu lhe perguntei se eles haviam tido aquela terrível conversa sobre o passado. Ele disse que não. Segundo ele, quando o assunto chegou, ele falou muito pouco, e ela respondeu: "Antes de mim, não importa". Essa frase ressoou por um tempo na minha cabeça, como um belo exemplo de amor e segurança. "Antes de mim, não importa."

Claro, existe uma diferença entre achar que o passado absolutamente não deve ser considerado e entender que o passado é gravíssimo mas ainda assim perdoar em Cristo na certeza de que aquilo não representa mais quem a pessoa é. Aquele amigo já era outra pessoa, completamente transformado por Cristo e firme no serviço a Deus. A jovem julgou que seu passado não podia defini-lo mais do que o que Cristo havia feito nele até aquele momento.

A postura de um cristão precisa ser a de *perdão retroativo*. Se você se interessa por alguém e pretende se casar, terá de perdoar todo pecado sexual passado — senão, aquilo se tornará um fantasma que os perseguirá por todo o relacionamento. Assim, você pode ter três posturas. Você pode ser um "corno manso", alguém que aceita traições como se nada fossem. Você também pode ser um cristão maduro, sério e perdoador — alguém que entende a gravidade da ofensa, mas que recebe em amor o ofensor e cuida com graça. Você também pode julgar que o passado da pessoa é grave demais e que não conseguiria conviver com toda aquela carga e, por isso, termina o relacionamento. Também é honesto, por mais que também seja uma decisão que revele certas fraquezas — mas são as suas fraquezas, e se você não consegue vencê-las, é uma realidade a ser respeitada. Pior que terminar um relacionamento por causa do passado é tentar continuar um relacionamento com o qual não se consegue lidar.

Viciados em pequenos começos

Mesmo assim, não sejamos ingênuos. O passado nos forma mais do que imaginamos. De tanto nos permitirmos pequenos lances relacionais de tempos em tempos, deixamos de construir relações sólidas e nos gastamos sempre em novos inícios. Há quem goste da caça mais que do tesouro. Ama a adrenalina de buscar relacionamentos, mas se afoga no tédio de se relacionar. Quando casa, motivado por alguma pressão difusa, seus olhos dançam no salão das possibilidades. Ou então a mente fantasia um mundo-cópia de novas buscas. Seja como for, sofre insatisfeito. Passou a vida celebrando a busca pelo amor, mas deseja a morte por tê-lo encontrado. Quem começa e termina muitos namoros acaba se relacionando mais com buscas que com achados, e aprende a se relacionar com as estradas mais que com os destinos. Treina para ser um cafajeste e só aquieta o facho no terceiro casamento, quando for velho demais para um novo divórcio.

No livro *Hooked: New Science on How Casual Sex is Affecting Our Children* [Fisgado: Novas descobertas científicas sobre como o sexo casual está afetando nossas crianças], Freda McKissic Bush e Joe S. McIlhaney Jr. explicam como as substâncias de nosso cérebro que geram a entrega relacional e o sentimento de pertencimento se gastam, e que entrar e sair constantemente de novos relacionamentos afetivos nos deixa, em um nível neurológico, cada vez mais frios e inaptos a relacionamentos maduros.[2] Acabamos escravizados a pequenos inícios de relacionamento, já que gastamos muito daquilo que nos prende às outras pessoas. O ser humano não foi feito para ser emocionalmente infinito. Há algo frágil em nosso coração.

É por isso que uma das frases mais verdadeiras e mais incompreendidas sobre matrimônio é que as pessoas procuram fora do casamento o que não encontram dentro dele. Diz-se isso, geralmente, com o intuito de incentivar mulheres a topar todo tipo de loucura sexual visando evitar que o marido vá em busca de satisfazer seus desejos em outras mulheres. De fato, há algo de verdadeiro nisso, mas muitas vezes perdemos de vista que existem coisas que nenhuma mulher poderá entregar ao marido, e que só podem ser encontradas fora

---

[2] Freda McKissic Bush e Joe S. McIlhaney Jr., *Hooked: New Science on How Casual Sex is Affecting Our Children* (Chicago, IL: Moody Publishers, 2019).

do casamento. Não há como um cônjuge oferecer ao outro o sentimento de explorar o desconhecido, a troca de olhares com um estranho, os primeiros movimentos que fazem o coração bater forte, o arrepio do toque de mãos novas. Se o homem procura fora do casamento o que não encontra dentro dele, como a esposa pode suprir vontades de coisas que não há como dar? Diante de uma mulher nova, suas piadas velhas arrancam novas risadas. Seus cacoetes chamam mais atenção. Suas histórias se tornam novidade. Não há qualquer coisa que uma esposa possa fazer para dar ao marido o que só um romance de fim de semana pode proporcionar. É por isso que, ao se casar, a pessoa precisa abrir mão de certos prazeres a fim de encontrar outras realizações que não são possíveis fora do casamento.

> Chesterton foi muito sagaz ao declarar que se restringir a uma única mulher é um preço pequeno diante da grandeza de ter uma única mulher, e que desejar outras é como reclamar de ter nascido uma só vez.

Aconselho a muitos jovens solteiros que se preparem para o casamento vencendo a idolatria da conquista. Muitos adoram começar relacionamentos, mas odeiam manter-se neles. Casados, permanecerão com essa estrutura relacional queimando na alma e não encontrarão dentro do casamento algo que os supra nesse sentido. O risco é que se procure no adultério a realização de desejos que foram alimentados ao longo da vida. A contraparte disso é o oferecimento de estímulos frequentes dentro do casamento para que se valha a pena, em termos experienciais e psicológicos, renunciar àquilo que o mundo pode dar. O famoso ensaísta G. K. Chesterton foi muito sagaz ao declarar que se restringir a uma única mulher é um preço pequeno diante da grandeza de ter uma única mulher, e que desejar outras é como reclamar de ter nascido uma só vez. Há um só caminho ao Paraíso, e é necessário renunciar a pequenas vielas verdejantes para encontrar o Éden do matrimônio. Quando entramos no caminho da prostituição, não só trabalhamos para destruir o presente, mas também corrompemos nossos relacionamentos futuros.

O evangelho para namoros ímpios

Talvez você termine esta leitura se sentindo a pior pessoa de todas.

Talvez o seu namoro já seja dado a muitas impiedades. Talvez você já esteja casado, mas luta com a ideia de que desonrou a Deus em namoros passados e acha que o Senhor pode puni-lo por seus erros prévios. Talvez acredite que as dificuldades no seu casamento são fruto de um namoro que foi quente demais. Talvez pense que não deve se casar com essa mulher ou com esse homem, porque vocês já deram passos demais em direção à prostituição e agora não tem mais como voltar atrás.

Quem sabe você tenha abraçado cada uma dessas repreensões e advertências e esteja se sentindo mal e deprimido. Quero dizer que é justamente essa a intenção. É deixá-lo desamparado. Só assim você pode vencer qualquer busca humana por valor e encontrar seu consolo unicamente no Senhor. Você pode se achar o pior pecador do mundo, mas a graça é a maior perdoadora do mundo. A graça que nos perdoa reside justamente no fato de que Jesus tomou a nossa culpa sobre si, no tribunal de Deus, como se fosse a culpa dele. Na cruz, sendo julgado pelo Pai, ele assumiu nossos pecados, a fim de que sua vida perfeita e justa se tornasse a nossa vida diante de Deus.

Paulo escreve: "Àquele que não conheceu pecado, o fez pecado por nós; para que nele fôssemos feitos justiça de Deus" (2Co 5.21, RA). Esse é meu texto favorito em toda a Bíblia. As falhas, os pecados, os erros que acumulamos na vida são jogados em Cristo quando nele confiamos. Quando o Pai olhou para seu Filho naquela cruz, ele viu todos os erros que cometemos. Viu toda vez que cruzamos a linha, cada beijo sem compromisso, os "pegas" fora do casamento, o adultério e a prostituição. Jesus foi tratado como nós deveríamos ser tratados por Deus em cada um de nossos pecados. Jesus fez tudo isso para que o Pai veja justiça quando olha para nós agora. Você que teve um namoro indecente, que se arrependeu e agora tem medo da punição divina, saiba que Jesus já recebeu a punição em seu lugar. Seu casamento não vai pagar o preço de erros do passado, porque Jesus já pagou o preço por você.

No tribunal de Deus, aquele que nunca mentiu se tornou mentiroso para limpar nossa mentira, aquele que nunca roubou se tornou ladrão para limpar nosso roubo, aquele que nunca transou se tornou lascivo para limpar nossa prostituição. Ele tomou sobre si nossos pecados para que, diante de Deus, fôssemos limpos novamente.

Você não tem como mudar o seu corpo. Não tem como voltar a ser virgem. Porém, aos olhos de Deus, todos nós somos impolutos, castos e santos quando, pela fé, confiamos nele para sempre. Isso não é desculpa para pecarmos mais. Não é desculpa para nos entregarmos aos erros confiando que Jesus perdoará. Essa é a postura de quem nunca foi perdoado, segundo Paulo. Porém, sabendo do perdão, temos força para lutar contra o pecado e continuar olhando para o Senhor com uma face de vitória. Uma vitória que não é nossa, mas de Cristo Jesus.

Se você tem um namoro que não é santo, Jesus é nossa santidade. Se você diz coisas libidinosas, ele é o sal que tempera nossas palavras. Se suas mãos tocam o que não deveriam, ele derramou o sangue que limpa nossas impurezas. Ainda que o pecado afete nossa vida em suas consequências humanas, o Pai olha para nós através de Cristo e nos vê castos, limpos, puros, porque seu Filho levou na cruz toda nossa prostituição. Pela fé no sacrifício daquele que morreu com nossos pecados, podemos encontrar novamente um caminho limpo diante de Deus, e a possibilidade de uma nova vida de santificação. Entregue-se a Cristo antes de se entregar a qualquer outro.

Você que vive hoje uma vida de luta contra esse pecado, cuidado. O modo como você luta é o que evidencia se já recebeu o pagamento desse pecado. O modo como olha para o outro e foge desse pecado é o que evidencia uma fé genuína para que você possa olhar para Deus e ter confiança no perdão dele. Olhe para Cristo com confiança. Olhe para ele desejoso de seu perdão. Encontre na obra perfeita de Cristo um caminho para que toda cédula de dívida seja paga diante de Deus, a fim de que você obtenha forças para, de hoje em diante, viver um namoro que respeita o Pai, o Filho e o Espírito, e que também respeita a pessoa que Deus colocou do seu lado. O caminho para o desfrute do outro e para a entrega de si é o caminho do casamento. E é sobre isso que vamos falar no próximo capítulo.

3
Deus fez você para casar

*O casamento como único padrão
de relacionamento íntimo*

Quando a cantora e compositora Marília Mendonça morreu num terrível acidente aéreo no dia 5 de novembro de 2021, vi vários colegas cristãos lamentando copiosamente seu falecimento. É claro que, quando uma pessoa morre, seja cristã ou não, devemos mesmo lamentar. O que me causou espanto, contudo, foi o fato de a Marília Mendonça ter tantos fãs na igreja. Eu imaginava que o tipo de música que ela cantava não representava os valores cristãos. Então, minha esposa e eu entramos em uma maravilhosa jornada sociológica pela discografia de Marília Mendonça. Tudo para fins exclusivamente científicos, é claro.

Canção após canção, ficamos surpresos com os dois temas mais recorrentes em suas letras: chifre e traição. Nas músicas, ou você foi traído ou é alguém sexualmente desleal — presumi, no mínimo, que os cristãos estivessem no grupo dos traídos, porque assim ao menos seriam vítimas do mal do outro, e não agentes de adultério.

Não estou dizendo que, se você ouviu uma ou duas músicas de Marília Mendonça, você está longe do caminho de Deus. Nem estou dizendo que não deveria chorar o falecimento de uma personagem relevante da cultura brasileira. O que me causa espanto é como nós normalizamos, dentro da igreja, um tipo de comportamento em tudo oposto àquilo que acreditamos como cristãos, sobretudo no que diz respeito a relacionamentos. Vivemos na época do "pega mas não se apega". Isso não é novidade ao longo da história do mundo. O sexo livre e a livre manifestação de seus impulsos libidinosos fizeram parte da humanidade desde o princípio. O pecado sempre esteve aí para quem quisesse aproveitar um pouco mais do outro.

Nesse contexto de "pega mas não se apega", Deus apresenta o casamento como o padrão de relacionamento entre homens e mulheres que desejam se relacionar afetivamente. É até icônico que um livro intitulado *Não se apega, não*, de Isabela Freitas, tenha passado tanto tempo nas pilhas de obras em destaque nas livrarias da minha cidade. As pessoas querem apreciar as bênçãos do relacionamento sem as cobranças bíblicas para as relações sexuais. Esquecemos, assim, que a Bíblia descreve os relacionamentos em termos de dívida, de responsabilidade.

Ao longo das Escrituras, nós encontramos um padrão bem estabelecido: a percepção de que o relacionamento entre homem e mulher com fins afetivos sempre se desenvolve na responsabilidade e no compromisso do casamento. Assim é desde a criação do casamento, quando lemos: "Por isso o homem deixa pai e mãe e se une à sua mulher, e os dois se tornam um só. O homem e a mulher estavam nus, mas não sentiam vergonha" (Gn 2.24-25). O homem e a mulher foram criados para um relacionamento que requeria um compromisso, que cobrava uma responsabilidade. Deus intentou que nessa relação em que o intercurso sexual é a coroa consumadora, o "tornar-se um" acontecesse dentro do contexto de formação de um novo núcleo familiar, em absoluto compromisso com o outro. Não é que o sexo faz o casamento, mas sim que o casamento possibilita o sexo de forma abençoada. O casamento é o modelo de relacionamento cristão entre os sexos.

Paulo evoca o mesmo tipo de sentimento em Efésios 5.22-33, ao tratar do compromisso no relacionamento entre homem e mulher. Cabe ao homem o compromisso de morrer por aquela que ele ama e lidera, e cabe a mulher o compromisso de se entregar ao marido. Na visão do apóstolo, o relacionamento entre homem e mulher se dá dentro de um contexto de responsabilidade mútua, de compromisso e entrega mútuas, nos âmbitos financeiro, emocional e físico. Esse é o chão firme sobre o qual cresce a intimidade entre o homem e a mulher.

Os relacionamentos de hoje tentam evitar isso, e tentam nos fazer acreditar que você pode fazer uso do outro sem antes se entregar em compromisso a esse alguém. É o famoso sexo livre, consequência da revolução sexual de meados do século 20, em que as pessoas acreditam poder ficar com quem bem quiserem. Pegar, mas não se apegar.

É uma cultura de *presepada*. Pelo menos, é o que diz a Marília Mendonça. Essa música, "Presepada", possivelmente foi a única a fazer a Isa e eu nos entreolhar e dizer que talvez houvesse um valor cristão no que estava sendo dito. O contexto da música é este: uma amiga da Marília Mendonça tinha um namorado que não valia nada, bebia muito, aparentemente traía e não queria se casar. A cantora, então, tenta incentivar o rapaz a se casar com a moça, que esperava que o matrimônio viesse em algum momento. O refrão traz a seguinte poesia, de fazer Camões corar de vergonha e inveja: "É hora de parar com a presepada / Respeita a sua namorada / Agarra essa mulher e casa, agarra ela e casa".

Parece piada, mas aparentemente muitos jovens de igreja se acostumaram com a presepada. Acostumaram-se a entrar em relacionamentos e a viver dessa forma sem compromisso. O oposto do casamento é a presepada. O oposto de casamento é unir-se a alguém sem dever nada diretamente a esse alguém, e vice-versa, com ambos vivendo como se já fossem casados. Muitos brincam de namoro como quem brinca de casinha. Fingem que há um papai e uma mamãe, aproveitam-se de alguns benefícios desse relacionamento, mas em algum momento se esvaem dele como se nada fosse.

> Namoro não pode ser recreativo, e namoro não é casamento. Namoro não pode ser presepada.

Namorar não pode ser seu objetivo final. O namoro é um padrão moderno esquisito que não encontra respaldo nos modelos bíblicos de relacionamento. Como já dissemos, na Bíblia, o único outro modelo de relacionamento diferente do casamento era o noivado judaico, um enlace de compromisso amoroso tão sério quanto o matrimônio, mas sem consumação carnal. Ou seja, era uma relação que assumia as responsabilidades e os compromissos do casamento sem receber os benefícios e as vantagens do casamento. O namoro como conhecemos, em contrapartida, assume os benefícios do casamento sem assumir seus compromissos. A relação entre homem e mulher tem um objetivo claro, que é o casamento: "o homem deixa pai e mãe e se une à sua mulher". Namoro não pode ser recreativo, e namoro não é casamento. Namoro não pode ser presepada.

Para pensarmos mais a fundo a esse respeito, olhemos para uma das passagens mais importantes em toda a Bíblia sobre relacionamento. O texto da criação do homem e da mulher, o texto da criação do casamento.

A criação do casamento

O texto de Gênesis 2.18-25 narra a criação do casamento:

> O Senhor Deus disse: "Não é bom que o homem esteja sozinho. Farei alguém que o ajude e o complete". O Senhor Deus formou da terra todos os animais selvagens e todas as aves do céu. Trouxe-os ao homem para ver como os chamaria, e o homem escolheu um nome para cada um deles. Deu nome a todos os animais domésticos, a todas as aves do céu e a todos os animais selvagens. O homem, porém, continuava sem alguém que o ajudasse e o completasse.
> Então o Senhor Deus o fez cair num sono profundo. Enquanto o homem dormia, tirou dele uma das costelas e fechou o espaço que ela ocupava. Dessa costela o Senhor Deus fez uma mulher e a trouxe ao homem.
>
> "Finalmente!", exclamou o homem.
>
> "Esta é osso dos meus ossos,
>   e carne da minha carne!
> Será chamada 'mulher',
>   porque foi tirada do 'homem'".
>
> Por isso o homem deixa pai e mãe e se une à sua mulher, e os dois se tornam um só. O homem e a mulher estavam nus, mas não sentiam vergonha.

O texto da criação do casamento é intrigante. Há uma história sendo contada aqui. Em Gênesis 1, temos a criação do universo e do mundo. Tudo é criado em seis dias. Então, há um sétimo dia de descanso, em que Deus aprecia sua obra. No sexto dia, é descrita a criação do homem e da mulher em termos mais sintéticos. Já em Gênesis 2, o sexto dia é relatado mais detalhadamente, e entendemos como é que se deu a criação do homem e da mulher. Em Gênesis 1, temos simplesmente a criação da obra. Em Gênesis 2, vemos que houve um processo. Adão foi criado sem Eva. Ele foi criado sozinho, e esse cenário não era bom. Em Gênesis 1, ao fim de cada dia, repete-se o refrão: "e Deus viu que era bom". No fim do sexto dia, temos a declaração de que tudo era muito bom. Nos detalhes do relato, porém, lemos que em certo momento houve algo que não era bom. O Senhor disse que não era bom que o homem estivesse só.

Ser casado é muito melhor

O texto começa com uma declaração marcante:

> O Senhor Deus disse: "Não é bom que o homem esteja sozinho. Farei alguém que o ajude e o complete".
>
> Gênesis 2.18

Deus começa o cenário da criação do casamento dizendo que estar sozinho não é bom. Talvez você seja o tipo de pessoa que gosta de ter um tempo para si. Talvez seja introspectivo e gaste rápido sua energia social. Nada disso é ruim por si só. No entanto, a solidão absoluta — não ter alguém que lhe corresponda diretamente — é uma situação que Deus diz que não é boa.

Adão está solteiro. Ele não tem uma esposa, e isso é um problema na criação de Deus. Por algum motivo, Deus escolhe dar a Adão a experiência da solidão antes de supri-lo com uma companheira. Deus poderia ter criado Adão e Eva ao mesmo tempo, já entregues um ao outro. Não foi essa, porém, a intenção de Deus. A intenção de Deus foi que Adão conhecesse uma existência solitária antes de conhecer uma correspondência e completude em Eva. É como se Deus estivesse dando razão prévia ao romancista Alexandre Dumas, em *O conde de Monte Cristo*: "Apenas aquele que atravessou o extremo infortúnio está apto a sentir a extrema felicidade. É preciso ter desejado morrer, Maximilien, para saber como é bom viver". Deus permitiu que Adão conhecesse a dor da solidão antes de conhecer a bênção da completude.

O matrimônio foi a coroa da criação. Não Adão e Eva independentes, mas ambos interrelacionados em matrimônio. Deus nos criou para nos casarmos. Ele nos criou para vivermos com uma mulher ou com um homem. Mesmo que essa ideia tenha se tornado contracultural em alguns ambientes da igreja, é difícil negar que ser casado normalmente é melhor que ser solteiro — pelo menos, é isso que o casamento foi feito para ser. Adão com Eva é melhor que Adão sozinho. Claro que o casamento não é um mar de rosas. São dois pecadores se casando. Casar-se traz vários desafios particulares. Mesmo assim, estar casado é melhor que estar solteiro.

Se o casamento tem suas dificuldades, a vida de solteiro também carrega suas batalhas. As dificuldades que encontramos no matrimônio também poderiam ser encontradas na solteirice. É uma piada comum dizer que "casar engorda", mas sabe o que também engorda? Envelhecer. Todos os solteiros da minha idade engordaram também. O que engorda não é casar. O que engorda é viver. O metabolismo vai diminuindo e vamos crescendo para os lados. Viver implica dificuldades. Quando nos casamos e os problemas surgem, logo pensamos que tomamos uma péssima decisão. Sem dúvida, casar mal pode ser uma experiência extremamente desafiadora, mas nem todos os nossos problemas se devem ao casamento. Eles existem no casamento, mas existiriam também na solteirice. Estar solteiro para Adão não era bom. Estar casado era muito melhor. E isso é, na maioria dos casos, verdade para nós também. A solteirice é um ambiente pior que o matrimônio.

Claro que quem está solteiro não está quebrado, não tem um defeito. Se você está solteiro, precisa saber que sua vida importa e que você não está com defeito. Deus não se esqueceu de você, caso esteja tentando casar e não consegue. Mas a verdade é que encontrar um matrimônio é encontrar algo que Deus criou para completar quem somos. Algumas pessoas se sentem constrangidas quando, em sua comunidade, todo adulto é meio casamenteiro, mas uma igreja casamenteira provavelmente é uma igreja de casamentos felizes. Alguém infeliz no casamento dificilmente encorajará você ao casamento. Se está todo mundo tentando empurrar você para alguém, procure enxergar pelo lado positivo. Eles querem compartilhar com você uma experiência que para eles tem sido muito boa.

Infelizmente, a teologia popular acaba sendo feita em pêndulo. Antes se valorizava a virgindade e a castidade, depois o casamento, então começa-se a tentar defender que o solteiro não possui defeito, e precisamos falar de casamento novamente. É importante não desprezar a vida de solteiro, mas é importante também entender que se deve buscar o casamento. É algo a se desejar. Não é algo do tipo "se der, deu". O casamento é uma bênção que deveria ser um dos objetivos de vida do crente, pois ser casado é muito melhor. Foi Deus quem disse isso sobre Adão, e foi ele quem criou uma auxiliadora e a entregou a Adão. O casamento é uma coisa que Deus dá. Sim, é Deus quem dá o casamento. Não se trata meramente de uma tradição familiar ou de um costume cultural. Trata-se de uma criação do Senhor para resolver algo que não era bom, a fim de dar a nós, humanos, um tipo de vida muito mais pleno, uma vida na qual encontramos auxílio, idoneidade e semelhança. Deus não é como o Dr. Frankenstein, que se recusa a dar uma esposa para sua criatura e então acaba morto pela criação. Deus dá Eva a Adão, em generosidade e amor.

Dominar sozinho não é o bastante

O texto bíblico relata que Deus não simplesmente faz a mulher e a entrega ao homem. Mais uma vez, Deus constrói algo na vida de Adão:

> O Senhor Deus formou da terra todos os animais selvagens e todas as aves do céu. Trouxe-os ao homem para ver como os chamaria, e o homem escolheu um nome para cada um deles. Deu nome a todos os animais domésticos, a todas as aves do céu e a todos os animais selvagens. O homem, porém, continuava sem alguém que o ajudasse e o completasse.
>
> Gênesis 2.19-20

A partir do verso 19, Deus coloca Adão para exercer domínio sobre a criação. Lembremos que a ordem de Deus foi que homem e mulher dominassem a criação. Naquela pequena comunidade, havia o jardim. O mundo era composto da fauna e da flora que Deus tinha criado. Com o tempo, ali se desenvolveria toda uma cultura, com seus elementos tecnológicos, sociais, políticos e econômicos. Então, esse domínio humano sobre a criação abarcaria todas as outras coisas. Eles deveriam dominar toda a criação.

É a partir do verso 20 que Deus traz os animais para que Adão cuidasse. Adão tinha de nomear os animais e, na cultura hebraica, aquele que nomeia exerce algum tipo de autoridade. O texto diz que Adão deu nome a todos os animais domésticos, às aves dos céus e a todos os animais selvagens. Mesmo assim, o homem não achava uma auxiliadora que fosse semelhante a ele. Aqui, Adão está exercendo domínio sobre a criação, e mesmo assim não encontra aquilo que ele nem mesmo compreendia estar procurando.

Infelizmente, somos instruídos, até mesmo por nossos pais, a só considerar o casamento depois de dominarmos o mundo por tempo suficiente. É o velho "você não pode se casar agora porque ainda não tem o emprego dos sonhos, ou porque não tem o carro do ano, ou porque não terminou o doutorado na Europa". Dizem que só quando tivermos tudo é que poderemos pensar em matrimônio.

Claro que é correto os pais pensarem na formação dos filhos. O casamento demanda alguns níveis de estudo e esforço para os quais se deve estar preparado. Porém, muitas vezes ensinamos a nossos filhos que o casamento é parte inferior da vida, sempre subserviente às conquistas financeiras, acadêmicas e profissionais. Parece que o casamento vem para atrapalhar o que realmente importa na vida: o dinheiro e os bens. Minha esposa brinca que, se fosse esperar ficar rica para casar, estaria solteira até hoje. E não é essa a realidade? Muitas vezes, queremos que nossos filhos se casem aos vinte e poucos anos tendo conquistado mais do que demoramos quarenta ou cinquenta anos para adquirir.

Se acreditamos que só vale a pena nos casarmos quando tivermos dominado o mundo e recebido frutos o bastante desse domínio, o relato de Adão dominando a criação nos deixa constrangidos. Pois Adão percebe muito cedo que dominar o mundo sozinho não vale a pena. No fim das contas, a pessoa estará velha e sozinha, cheia de coisas e sem ninguém. Morrerá com enfermeiras ao lado da cama, mas sem ter quem o ame por perto. Uma vida toda em torno do que não dura e do que é de menor valor.

O mundo destruiu nossos ideais de sucesso. Nos salmos de peregrinação, os judeus cantavam que era "como um sonho" retornar do cativeiro (Sl 126.1), gratos por poderem viver em alegria, colhendo os frutos da fidelidade. Diante disso, eles declaram que viverão finalmente abençoados por Deus. E que bênção era esta? Agora eles poderiam viver em paz, com famílias grandes em volta da mesa (Sl 127.3—128.4). O sucesso de um homem israelita era ter uma mesa cheia com a esposa e os filhos em volta. Isso é um sonho de verdade. Isso é sucesso. Quando sacrificamos isso em nome de outras coisas e passamos a vida sacrificando o ideal de matrimônio em prol do acúmulo de bens e recursos, estamos trocando o que é mais valioso por algo inferior.

Sabe aqueles jogos de televisão que humilham pobres em rede nacional em troca de uma reforma na casa ou de um tratamento médico? Num deles as crianças ficavam em cabines à prova de som. Quando uma luz acendia, elas deveriam responder sim ou não para alguma troca que elas não sabiam qual era. Então a luz acendia e o apresentador perguntava: "Você troca um carro do ano por uma torrada sem manteiga?". A criança não sabia o que estava sendo ofertado e, se escolhesse errado, iria para casa só com a torrada. Às vezes, nós vivemos em um programa de auditório cósmico, no qual trocamos lar, família, filhos, esposo ou esposa por um carro do ano. Nem sempre fazemos a melhor escolha. Claro que é importante ter com o que sustentar a família, mas não se engane: é muito fácil que a ideia de "vou prover para constituir casamento" se torne um "preciso dominar o mundo totalmente para então constituir casamento".

Tentar dominar o mundo sozinho é muito, muito triste. Deus quis que governássemos a criação juntos, com companhia. A ordem de Gênesis 1 é para homem e mulher. Ambos deveriam dominar a criação. Adão deveria dominar a criação acompanhado. Cuidar do mundo não é papel só dos homens ou só das mulheres, mas sim da família toda. É triste que a cultura de namoro destrua isso. Em vez de constituir um relacionamento para a vida, no qual homem e mulher se unem para sempre numa jornada conjunta no serviço da sociedade, temos pequenos relacionamentos que não visam o mundo lá fora, mas estão voltados exclusivamente para dentro. Se o casamento é um núcleo para domínio da criação, ele se torna uma instituição que funciona também para fora do âmbito conjugal. O casamento serve o mundo, domina a sociedade e cria filhos para que o mundo seja mais bem servido. O namoro é o oposto disso, porque é um relacionamento voltado para dentro. É, muitas vezes, um relacionamento puramente egoísta em que até amigos são afastados — afinal, não dá para estar com os amigos enquanto se beija na boca. Muitas vezes, o único mote desse relacionamento é a maximização dos prazeres e do conforto emocional dos envolvidos. O casamento não pode ser isso. O casamento é um relacionamento maduro que é vivido também para fora.

Uma nova antropologia

É interessante perceber que Deus concede a Adão a experiência da solteirice. Adão olha para o mundo e não encontra a satisfação que só encontraria no casamento. Então, Deus resolve isso com uma nova antropologia. Deus muda a criação que ele fez. Isso é muito interessante. Deus cria o homem e então muda a constituição do homem:

> Então o Senhor Deus o fez cair num sono profundo. Enquanto o homem dormia, tirou dele uma das costelas e fechou o espaço que ela ocupava. Dessa costela o Senhor Deus fez uma mulher e a trouxe ao homem.
>
> "Finalmente!", exclamou o homem.
>
> "Esta é osso dos meus ossos,
>   e carne da minha carne!
> Será chamada 'mulher',
>   porque foi tirada do 'homem'".
>
> Gênesis 2.21-23

Deus faz que Adão caia em um pesado sono e, no primeiro caso de anestesia geral da história, tira uma costela de Adão. Arranca um pedaço do que ele próprio havia criado. No processo de fazer aquilo que não era bom ficar bom, Deus não adiciona. Ao contrário, ele subtrai. Deus, antes ainda da entrada do pecado no mundo, tira parte do homem e o deixa com um pedaço faltando. Deus tira a costela e põe carne no lugar. Desse pedaço tirado do homem, Deus constrói algo muito maior que o pedaço faltante. Deus constrói uma mulher para Adão e a leva até ele. Então, Adão diz: "Esta é ossos dos meus ossos, e carne da minha carne. Será chamada 'mulher', porque foi tirada do 'homem'".

Deus tira algo de Adão porque Adão não estava bem completo. Ele precisou receber da parte de Deus uma falta. Deus faz algo faltar em Adão para que a mulher se torne o suprimento dessa falta. Agora, Adão encontra na mulher a plenitude do que lhe faltava quando ele estava completo sozinho. A autossuficiência é terrível. Deus não nos fez para sermos autossuficientes — não só no sentido espiritual, já que Adão não estava efetivamente sozinho, tendo Deus com ele, mas também no sentido humano. Não existimos para depender só de Deus. Também existimos para depender dos outros.

Deus faz Adão depender de Eva para que ele encontrasse completude em um auxílio idôneo, um auxílio correspondente. Adão poderia encontrar auxílio nos animais para muitas coisas. Se ele fosse percorrer longas distâncias, poderia montar em um cavalo. Se quisesse nadar, poderia subir nas costas de um golfinho. Adão poderia usar os animais para seu benefício. Poderia encontrar auxílio na criação. A questão, porém, é que ele não tinha auxílio correspondente, um auxílio idôneo. Não tinha alguém que lhe fosse igual — nem menor, nem superior. O casamento é isso. Há uma igualdade que só se dá no casamento. Essa igualdade possui papéis diferentes, mas, no sentido antropológico, homens e mulheres são iguais e se auxiliam nesse processo de dominar a criação.

O homem tem algo que lhe falta até que se case. Quem está solteiro não está quebrado e pode participar do domínio da criação, mas continuará com algo íntimo que lhe falta. Você pode ter todo o dinheiro, recurso, domínio, beleza e poder. Se não tem uma esposa ou um marido, falta algo que nada neste mundo pode lhe proporcionar. Deus gerou em nós essa falta. Foi Blaise Pascal quem disse que existe um vazio no homem que só Deus pode suprir. É verdade, mas existe também no homem um vazio do tamanho de uma esposa. À parte do consolo em Cristo, só um cônjuge pode suprir certas faltas. Absolutamente nada neste mundo poderá ser colocado no lugar.

A mulher, de igual modo, foi criada para suprir esse vazio. A mulher pode encontrar missão onde quer que seja, adequar-se a funções acadêmicas e profissionais em qualquer ambiente, mas Deus a criou para suprir o vazio que ele gerou no homem. Assim, temos essa dança da criação, em que nem homem nem mulher conseguem viver sozinhos de fato. Repito que a existência na solteirice é digna diante de Deus, mas o Senhor institui o casamento para proporcionar um tipo de suprimento que não se encontra em nenhum outro lugar. A mulher foi feita para casar, e o homem tem um vazio que não será preenchido por nada além do casamento.

> Você não deveria se contentar com essa cultura de namoro. Não deveria se contentar com o "pega e não se apega".

É por isso que você não deveria se contentar com essa cultura de namoro. Não deveria se contentar com o "pega e não se apega". Não deveria se contentar com as presepadas que este mundo tenta nos vender, porque é só o casamento que nos completa antropologicamente. A mulher não está preenchendo aquilo que ela foi criada para preencher quando está em namorinhos. O homem não está completo em uma nova unidade antropológica ao se envolver em "ficadas". Deus nos fez de modo que só sejamos completos no casamento.

E é por isso que Adão olha para sua esposa e diz: "ossos dos meus ossos e carne da minha carne". Ele estava dominando a criação, mas é somente quando encontra a esposa que ele encontra alguém que é ele próprio. Ela foi feita para ele. Eles são completamente correspondentes. Adão vê em Eva um tipo de correspondência profunda que não consegue encontrar em mais nada. O casamento foi feito para ser um ambiente de confiança e correspondência que não se pode encontrar numa amizade. Um tipo de integridade que não se encontra num relacionamento profissional ou entre irmãos da igreja. O casamento sempre será um tipo de unidade e entrega maior que qualquer outra coisa. Se você prefere os amigos à esposa ou ao marido, você tem um problema. Se você prefere os pais à esposa ou ao marido, você tem um problema. Se você prefere os filhos à esposa ou ao marido, você tem um problema.

Os filhos podem ser pedaços de você, mas a sua esposa é você. Vocês dois se tornam um tipo de unidade tão profunda e inseparável que um não existe mais sem o outro. Não há mais "meus planos", "minhas vontades" ou "meu dinheiro". Você olha para o outro e encontra totalidade, completude e correspondência — coisa que namoro nenhum pode dar. A paixão juvenil pode oferecer borboletas no estômago, todo um conjunto de emoções intensas, mas efêmeras. Mas e depois, o que sobra? Só aquilo que você estiver disposto a construir em correspondência e profundidade, e que só encontra lugar seguro no casamento. É isso que o amor faz. É isso que a aliança faz. É assim que Adão olha para Eva. Ele a vê como parte de si de uma forma profunda e absoluta. O casamento nos faz olhar para as coisas com lentes totalmente novas.

"Osso dos meus ossos e carne da minha carne" é uma poesia. Adão viu em Eva um tipo de correspondência profunda e total. Viu ali algo que representava sua totalidade, sua completude, sua correspondência. É isso que o amor faz.

Ele nos faz olhar para as coisas através dessas lentes novas. Em outras palavras, o casamento deturpa o modo como interpretamos o mundo. Deturpa mesmo. Perdemos a capacidade de tentar ver certas coisas com alguma neutralidade. Ninguém além de Deus consegue ver as coisas como elas de fato são. Nós, seres limitados e presos a nós mesmos, sempre teremos acesso a interpretações próprias do mundo, não ao mundo de forma plena e total. O casamento, assim, torna-se algo que afeta para sempre a forma como interpretamos as coisas, modificando nosso relacionamento com toda a realidade sensível. É por isso que dois homens podem dizer a suas respectivas esposas que elas são a mulher mais linda do mundo, e nenhum deles estar mentindo. Todo homem sabe que sua esposa não é a mulher mais linda do mundo, objetivamente falando. Se assim fosse, ela provavelmente seria uma modelo internacionalmente conhecida, apareceria em programas de TV, venceria concursos de beleza e coisas do tipo — e ainda assim a ideia de uma "mulher mais linda do mundo" seria algo complexo de se definir. Mas poucas esposas são assim. De todo modo, o homem cujo coração está entregue a sua companheira não consegue analisar o mundo dessa forma objetiva. Ele olha para a esposa acordando despenteada de manhã e vê um anjo. Ela se veste para o trabalho e ele a confunde com uma ninfa grega. Ele a acaricia e se pergunta quantos fios de ouro Deus usou para compor aquela pele. Quando ela canta, há um timbre divino que só ele ouve. Todo homem poderia reconhecer objetivamente que não se casou com a mulher mais linda do mundo, mas nenhum bom esposo consegue olhar para sua esposa objetivamente. Toda sua relação com o mundo sensível está transformada pelas lentes do amor, da entrega e do matrimônio. Casar-se é tornar-se a melhor do mundo no mundo de alguém.

Em Cântico dos Cânticos, a Sulamita pede desculpas por ter a pele queimada do sol devido ao trabalho nos vinhedos (Ct 1.5-7). Nos tempos antigos, associava-se a beleza à tonalidade da pele, porque era difícil encontrar pessoas que não fossem muito bronzeadas do trabalho árduo debaixo do sol. Se a pessoa vivesse dentro de um palácio, então sua pele teria uma tonalidade diferente. Como a percepção de beleza muitas vezes é atrelada ao que é mais raro e incomum, peles queimadas do sol eram tidas como menos belas que peles mais claras. Hoje em dia, os padrões mudaram. Com a maioria trabalhando em escritórios e espaços fechados, ter a pele bronzeada é mais bonito. Mulheres pagam caro em clínicas de bronzeamento. Por isso, ela se desculpa por não estar adequada aos padrões de beleza da época. Mesmo assim, Salomão responde que ela é a "mais bela de todas a mulheres" (Ct 1.8). De acordo com o padrão de beleza daqueles tempos, a Sulamita não era a mulher mais bonita de todas. Porém, Salomão não consegue mais olhar para o mundo objetivamente. Ele fez uma aliança. Essa aliança muda seus olhos. Ele vê beleza. Ele vê a carne de sua carne e o osso dos seus ossos. No casamento, marido e mulher são presos num tipo de aliança que nada neste mundo pode igualar. Olhamos para o mundo com as lentes dessa nova unidade antropológica.

Porém, e isso é muito triste, as pessoas muitas vezes se casam como quem arruma um emprego. Vivem em busca de salários melhores e condições mais agradáveis de trabalho. Enquanto se dedicam a um, enviam currículos a outros. Conheci gente triste porque descobriu que existem mulheres mais bonitas que a sua, mais inteligentes que a sua, mais legais que a sua, mais espirituais que a sua. A questão é que, quando você se casa, não está fazendo uma aliança com as qualidades ou características do outro. Quando você se casa, está fazendo uma aliança com a própria pessoa em si. Quando eu me casei com a Isa, era apaixonado pelas qualidades dela. Nunca conheci mulher tão bondosa, tão dada ao cuidado dos outros, tão carinhosa comigo, tão determinada e corajosa para enfrentar os desafios. Eu amava cada uma de suas qualidades, mas estava ciente de que não estava me casando com qualidades específicas, e sim com a pessoa que cultivava aqueles atributos morais. Mesmo que ela perdesse todas aquelas qualidades, mesmo que sua personalidade fosse outra, mesmo que seu caráter se fragmentasse, minha aliança ainda assim permanece e o amor ainda assim deve florescer todas as manhãs. Eu sei que posso conhecer mulheres mais bonitas que a Isa. Sei que posso conhecer mulheres mais legais que a Isa. Sei que posso conhecer mulheres mais inteligentes que a Isa. O que eu não posso conhecer é mulheres mais Isa que a Isa, e esse é o único fator relevante na minha vida sentimental. A Isa pode encontrar sem dificuldade homens mais bonitos, inteligentes, legais, endinheirados e espirituais que eu, e homens esses que poderiam dar bola para ela. Mas não é uma questão de competição, e sim de entrega e aliança. Enquanto alguém ficar comparando o cônjuge com outras pessoas, achando que é a superioridade dos atributos que mantêm o relacionamento, terá perdido todo o ponto de Adão ao dizer: "carne de minha carne, osso dos meus ossos".

 A cultura de namoro, infelizmente, despedaça toda a cultura que sustenta esse tipo de aliança. O namoro é um estágio. Se a pessoa consegue uma proposta melhor, troca de estágio. O rapaz namora a Maria, mas está começando a gostar de Marta. Então, ele me pergunta o que fazer. Eu digo: "Larga a Maria e não fica com a Marta. Porque a Maria não merece um cafajeste, e a Marta também não. Permaneça sozinho até deixar de ser cafajeste". No namoro, se algo mexe com seu coração, você segue para onde o coração aponta. No casamento não é assim. No casamento não pode ser assim. Não podemos achar que, quando nos casamos com alguém, estamos nos casando com uma personalidade. "Ah, pastor, ela mudou demais e não é mais a pessoa por quem me apaixonei." Sabe o que você faz quando a pessoa com quem você se casou muda? Você continua casado. Sabe o que acontece quando você namora e a pessoa muda? Você age como se não devesse nada a ela. Você pode sem dificuldade encontrar pessoas melhores do que você à sua volta, e isso não deveria trazer qualquer insegurança para seu casamento. Não é uma questão de competição. É uma questão de olhar para o outro e ver alguém que é carne da sua carne e ossos dos seus ossos. Isso namoro nenhum pode dar.

Por isso, o casamento

O texto de Gênesis termina sua narrativa explicando que todos os detalhes da criação do matrimônio deveriam justamente levar o homem e a mulher ao casamento:

> Por isso o homem deixa pai e mãe e se une à sua mulher, e os dois se tornam um só. O homem e a mulher estavam nus, mas não sentiam vergonha.
>
> Gênesis 2.24-25

Essa aliança faz com que eles criem um núcleo familiar, passando a enxergar o outro como parte de si. O casamento cobra sacrifícios. Não é só uma adição, mas é também uma subtração: o homem deixa pai e mãe. A relação entre homem e mulher tira algo de ambos. Quando você mora com seus pais, a responsabilidade de seu sustento é primariamente deles. Eles tomam as decisões importantes. Eles se importam com o que é mais grave. Eles precisam estar atentos e prever os perigos que rondam a existência. Quando você sai da casa dos pais, há um novo núcleo no qual as decisões importantes bem como o sustento lhes pertence. Deixar pai e mãe é algo muito caro, e namoro nenhum cobra o mesmo de você.

De fato, o namoro não cobra quase nada. A mesada continua pagando o sorvete. No fim do dia, você dorme na casa dos pais. Nenhuma decisão importante depende diretamente de você. "Pastor, mas eu trabalho e pago meus passeios", você pode retrucar. Porém, a cama em que você dorme, a comida que você come e o teto que cobre sua cabeça à noite ainda não são seus. Você ainda tem uma vida muito confortável com outras pessoas lhe dando todo o suporte para que você possa sair para se divertir com essa moça ou com esse rapaz. O namoro não cobra nada de verdade. Em contrapartida, o casamento nos coloca numa nova relação de autoridade e nos faz criar um novo núcleo familiar.

Quando deixa pai e mãe, o homem se torna o pastor de um lar e a mulher se torna a auxiliadora de uma casa. Os filhos dessa relação estão debaixo dessa nova autoridade. Isso também não existe no namoro. Às vezes, as moças me perguntam o quanto de submissão bíblica devem ao namorado. A resposta é simples: Nenhuma! Submissão bíblica é para seu marido. Seu namorado não é nada seu. Enquanto você namora, você é submissa a seu pai e a sua mãe, assim como o namorado é submisso ao pai e à mãe dele. Namorado não tem nenhuma voz de ordem sobre namorada. No casamento, não. Quando a mulher escolhe um homem para se casar, está dizendo que se compromete a ser pastoreada por esse homem pelo resto da vida. Quando o homem escolhe uma mulher para se casar, ele se compromete a ser auxiliado por ela pelo resto da vida. Cada um abre sua vida para se entregar ao outro. Isso é um tipo de humildade que o namoro nunca vai emular, porque no namoro a pessoa volta para a casa de seus pais no fim do dia. No namoro, no fim das contas, a obediência ainda é aos pais.

Só então, o sexo

Além disso, o texto bíblico deixa claro que a consumação carnal só tem lugar no casamento. Diz que "os dois se tornam um só", ou "uma só carne", como traz a maioria das versões. Há aqui um processo. O homem deixa pai e mãe, une-se à sua mulher e então se torna uma só carne com ela. Esse é o processo. Você não se torna uma só carne antes de se unir à sua mulher. Você não se une, nem se torna uma só carne antes de deixar pai e mãe. Se você ainda está sob a autoridade dos pais, mesmo que tenha sua própria casa, você não pode fazer sexo. Deixar pai e mãe não é simplesmente uma questão geográfica. Ter uma casa alugada ou própria não lhe dá o direito de viver junto com outra pessoa. Isso não é matrimônio, é viver amancebado. Se você não se uniu em matrimônio com essa mulher, não tem o direito sobre o corpo dela, porque o "tornar-se uma só carne" só pode acontecer no contexto do casamento.

Meu conselho, diante disso, é que você nunca deve entregar seu corpo para quem não lhe entregou a vida. Não aceite intimidade física com alguém que ainda não escolheu entregar toda a existência para você. Só merece seu corpo quem lhe entregou a alma. Ela só pode ser carne da sua carne e ossos dos seus ossos quando se torna a única da sua vida. A consumação carnal só tem lugar no casamento. O namoro insiste todos os dias em tentar convencer você do contrário, mas não caia nessa. É apenas no casamento que o corpo do homem passa a ser da mulher e o corpo da mulher passa a ser do homem. Isso significa que o sexo no casamento é uma entrega que renuncia à posse de si, o que é impossível no namoro ou no sexo livre. Fora do casamento, não existe sexo de verdade; existe apenas masturbação com o corpo do outro. O outro é mero instrumento para seu prazer, já que seu corpo ainda é seu. Apenas no casamento o sexo é uma unidade real da alma através dos corpos.

> Fora do casamento, não existe sexo de verdade; existe apenas masturbação com o corpo do outro.

Agora, não se engane. O sexo é uma coisa transcendental de tão incrível, mas não é, nem de longe, a coisa mais prazerosa do casamento. Casar-se para justificar os desejos sexuais é hospedar-se num hotel de luxo à beira da praia por causa do *wi-fi*. É perder de vista o melhor da relação a dois. O resultado é a frustração, a menos que você se permita ter as compreensões transformadas pelo que o Espírito ensina na vida a dois. Há uma transformação espiritual inigualável em um casal que contrai matrimônio, e tudo muda de forma inexplicável. Almoçar juntos se torna um ato de culto. Deitar abraçado se torna o ápice do dia. O olhar fito dos olhos vence qualquer peça cinematográfica. O mundo diminui e o outro cresce para além do que se pode explicar. É por isso que Gênesis descreve a criação da mulher como resultado de uma insatisfação gerada pelo trabalho de Adão na coisa criada. Ele manifestou autoridade e domínio sobre a Criação e não encontrou nada que lhe fosse correspondente. A mulher foi criada diretamente para satisfazer essa necessidade de correspondência. O homem pode encontrar realização no sucesso profissional, nas glórias terrenas, nos títulos acadêmicos, no tamanho dos carros e na distância das viagens, mas nada deverá satisfazê-lo como o colo de sua esposa. C. S. Lewis já dizia que somos crianças ignorantes brincando na lama da favela e recusando ofertas de passar as férias na praia. Jovens que não desejam se casar para apreciar a vida de solteiro abandonam o banquete da felicidade para lamber as botas sujas das migalhas de realização da vida de solteiro. Por isso, o casamento. Existe uma unidade no matrimônio que o namoro nunca poderá imitar.

O relato da Criação termina dizendo que Adão e Eva estavam nus e não se envergonhavam. Agora existe um ambiente livre para a nudez. Essa é uma nudez física que simboliza uma nudez mais profunda. No curso de noivos, eu sempre pergunto: "Imagine que vou lhe dar uma oportunidade no culto. Vou chamar você à frente de toda a igreja e lhe dar duas opções. Na primeira, você ficará nu diante da congregação. Na segunda, você contará a todos o seu segredo mais profundo". Todas as vezes que fiz essa proposta — que é obviamente hipotética —, todos escolheram contar o segredo mais profundo. Nós lutamos para proteger o corpo mais do que imaginamos. Preferimos que vaze na internet o *print* de uma conversa vergonhosa a uma foto pelada. A nudez física é a nossa intimidade mais profunda. Ela é reservada unicamente para o casamento. Por isso, Adão e Eva podiam ficar nus e não se envergonhavam. O pecado não tinha entrado naquele relacionamento, e nele havia abertura total e profunda. Uma abertura que era do corpo, sim, mas que também era de quem eles eram por completo.

O lugar de expor os segredos e as dores sempre será o matrimônio, raramente o namoro. Muitas vezes, namorados abrem a profundidade de seu coração para alguém que dali a pouco não será mais nada deles. Mostram o corpo e abrem a vida, permitindo um tipo de intimidade física com alguém que juravam que se tornaria seu marido ou esposa. Em seis meses ou um ano, porém, já nem querem ver a pessoa na sua frente. O casamento é que nos dá esse ambiente de nudez segura, de abertura com segurança — seja do corpo, seja do coração.

Você deveria se casar cedo, mas com responsabilidade

Quero que você se case logo. Porém, quero que se case com responsabilidade. Quero encorajar você a se casar. Mas não quero que tome decisões apressadas. Converse com seus pais, com seus pastores. Não quero que ninguém se case assim que terminar este capítulo. Você não terá entendido a questão, se o fizer. Porém, em geral o pecado não é casar apressado. O pecado é adiar o casamento. Aos casais de namorados que leram até aqui: O que falta para vocês se casarem?

A cultura de namoro tem feito do casamento um item dispensável, adiável indefinidamente. Por que você ainda não quer se casar? Foi porque lhe disseram que você precisa alimentar cem pessoas em uma festa para que possa constituir nova família? Que precisa ter aos vinte e poucos anos um nível de vida que seus pais só conquistaram aos quarenta? Que só pode iniciar um lar cristão depois que tiver a oportunidade de ser vista desfilando com um vestido de milhares de reais? Que precisa realizar os sonhos frustrados que seus pais não conseguiram realizar neles e agora projetam na sua vida? Que precisa concluir sozinho ou sozinha toda a escalada acadêmica e profissional até o limite e só depois pensar em constituir família? Por que você ainda não quer se casar? Foi porque lhe disseram que juntar tesouros na terra vale mais que criar filhos para o reino? Que é melhor ir testando com as pessoas erradas até aparecer a certa? Por que você ainda não quer se casar? É porque vocês já não se incomodam em viver uma vida de intimidade sexual enquanto namorados, de modo que casar não vai mudar muito as coisas mesmo? Por que você ainda não quer se casar?

Todo o Antigo Testamento registra um tempo no qual as pessoas se casavam cedo. Em Salmos 127.4, o salmista fala dos "filhos que o homem tem em sua juventude". Provérbios 5.18 ordena: "Alegre-se com a mulher de sua juventude!". Malaquias 2.14 cobra fidelidade aos "votos que você e sua esposa fizeram quando jovens". Em Cânticos dos Cânticos 8.8, amigos do noivo lamentam porque a irmã ainda não começou a ter seus seios em crescimento, que seria o tempo de prontidão para o casamento. As pessoas se casavam praticamente adolescentes. Eram tempos bem diferentes dos nossos, com preparação diferente para formar uma família. Adiamos o matrimônio indefinidamente por motivos altamente injustificáveis. Poucos de nós temos um cônjuge da mocidade, da juventude.

Em Hebreus 13.4, é dito que o casamento é digno de honra de todos, não só dos casados. O motivo é que honrar o casamento dá força contra a imoralidade sexual. Assim, também os solteiros deveriam ter o casamento em alta conta.

Veja, você pode se casar quando bem quiser. Pode adiar ou não. Mas, se está tratando a filha dos outros como festa, caindo em imoralidade, já não tem o direito de esperar as melhores circunstâncias — você deve honrar o matrimônio. Se está vivendo debaixo de presepada, é hora de respeitar a filha ou o filho de alguém — e só então passar a viver uma aliança que exige algo de vocês.

O que não devemos esquecer, no entanto, é que pureza relacional não é promessa de casamento feliz. Você pode se casar virgem e se casar mal. Pode se guardar, só beijar no altar, fazer a corte e tudo o mais, casar-se na embalagem que veio de fábrica... e ter um casamento ruim mesmo assim. Enquanto as pessoas não entenderem isso, vão sofrer de frustração, porque um bom casamento precisa de muito, mas muito mais que pureza sexual pré-matrimonial para ser sólido — e muitos namoros cristãos têm se resumido a não transar e não se pegar. Se tudo gira em torno de não fazer sexo, nem passar a mão um no outro, perde-se a construção de um lar firmado em valores muito mais elevados. Por isso o namoro centrado na luta contra o pecado sexual é um fracasso, mesmo quando a luta está sendo ganha.

O namoro deve ser puro para que ambos possam dar atenção ao que verdadeiramente importa. A ideia é tirar a centralidade da questão sexual e constituir um relacionamento firme. Precisamos de pureza sexual, mas isso é condição necessária, não condição suficiente. Se você constrói um relacionamento cujo fundamento é "ser puro", parabéns. Você está construindo uma casa para morar cuja única preocupação do engenheiro era que o teto não caísse. Você não morre esmagado, mas pode morar mal a ponto de querer mudar de casa bem depressa.

Muitos pensam que "se guardar" é garantia da bênção de Deus na vida sexual e certeza de relações conjugais prósperas, como se fosse uma espécie de recompensa à santidade. A pureza sexual não é um tipo de meditação tântrica maluca que fará o sexo muito superior no casamento. Casar virgem, por mais que ajude em vários aspectos (menos histórico de comparação, menos relacionamento do sexo com o pecado sendo levado para o casamento etc.), também implica dificuldades particulares. A santidade sempre tem seu preço. Vocês vão se conhecer intimamente só já casados, quando não dá para voltar atrás. Só que a questão é justamente essa: não é o fim do mundo porque isso não é o centro da sua vida! Se a vida sexual não parece assim tão extraordinária, não se trata de um desastre monumental. Casamento é muito mais. Você não está depositando pureza para sacar orgasmos múltiplos, está depositando pureza para "sacar" glória eterna ao lado de Cristo para sempre. Se você perdeu isso de vista, então não entendeu nada do que pureza relacional significa.

Novamente, sejam puros. Mas sejam puros para poder lidar com o coração um do outro com humildade, com misericórdia, com liderança, com auxílio, com maturidade, com firmeza emocional, com trabalho duro, com vida de oração, com amor ao Senhor. Essas são questões para quem se casa com um indivíduo formado à imagem de Deus em sua completude, e não para quem se casa apenas para tornar lícitos seus desejos sexuais, como se se casasse apenas com os genitais de alguém, não com seu corpo e alma. Além do mais, casar-se virgem não representa o fim de toda luta contra pecados sexuais. Assim que você se casar, começará batalhas diferentes, ainda na mesma área. Você precisa desenvolver uma vida relacional forte e íntima — não apenas sexualmente presente — para que o matrimônio seja firmado na pessoa de Jesus.

Ser virgem é só uma porta. Construam o caminho.

Casar em Cristo é participar da obra de Cristo

Quando falamos de casamento, falamos da instituição que Deus criou para representar na terra o relacionamento de Cristo com sua igreja. Isso é um mistério maravilhoso que Paulo desenvolve em Efésios 5, ao abordar o modo como homens e mulheres se tratam. O casamento existe como um tipo de entrega espiritual tão profunda que o próprio evangelho se manifesta no casamento. Não é nos amigos do futebol, não é nas amigas do *shopping*, não é na comunidade acadêmica, não é na casa dos pais — é no casamento. É o casal olhar um para o outro e fazer dessa união um tipo tão profundo de aliança que o evangelho se torna visível. Por que você não desejaria isso na sua vida? Se ainda não vive isso, talvez seja hora de contemplar a grandeza desse evangelho e ansiar para que ele transforme seus valores, desejos e interesses de modo que você coloque o casamento no seu mapa. Talvez seja hora de orar a Deus para que você comece a entender que o casamento é muito melhor que qualquer namorinho que consiga viver enquanto solteiro.

4
Quando eu posso começar a namorar?

Cinco argumentos contra o namoro precoce

No Evangelho de Lucas, quando Jesus fala sobre o preço do discipulado, ele recorre a uma lição da vida comum. Seu propósito é motivar os discípulos a considerarem que viver a fé não era algo simples, mas que cobraria muito sofrimento: cada um deles precisaria tomar uma cruz sobre os ombros e acompanhá-lo pelo caminho do Calvário. Ser crente custa caro, e ninguém deveria entrar nessa enganado. Por isso, era importante que pudessem calcular o custo de receber a Cristo como Salvador:

> E, se não tomar sua cruz e me seguir, não pode ser meu discípulo. Quem começa a construir uma torre sem antes calcular o custo e ver se possui dinheiro suficiente para terminá-la? Pois, se completar apenas os alicerces e ficar sem dinheiro, todos rirão dele, dizendo: "Esse aí começou a construir, mas não conseguiu terminar!".
>
> Ou que rei iria à guerra sem antes avaliar se seu exército de dez mil poderia derrotar os vinte mil que vêm contra ele? E, se concluir que não, o rei enviará uma delegação para negociar um acordo de paz enquanto o inimigo está longe. Da mesma forma, ninguém pode se tornar meu discípulo sem abrir mão de tudo que possui.
>
> Lucas 14.27-33

Quando entrei na igreja, aprendi que, na evangelização, não deveríamos começar com as mensagens mais difíceis do evangelho, e sim com o que é mais palatável: "Jesus tem um plano maravilhoso para sua vida", "Ele vai restaurar sua família" e outras platitudes semelhantes. Aprendi que deveríamos falar aquilo que é extremamente desejável do evangelho, e apenas quando a pessoa fosse fisgada é que trataríamos dos aspectos de sacrifício, santidade e luta contra o pecado. Segundo o próprio Jesus, porém, ser crente custa caro. Custa a totalidade de nosso ser. Custa sonhos, prazeres e a própria vida. Ser crente não é simplesmente adicionar uma rotina dominical, mudar um pouco do vestuário ou parte do vocabulário. Ser crente significa renunciar a tudo o que somos. Jesus quer que seus discípulos não somente entendam isso, mas que também apresentem isso como porta de entrada do evangelho.

Somos ensinados por Jesus a instruir os que vêm à fé a calcularem o custo. "Você tem certeza de que quer ser crente? Não vou mentir para você. Custa caro." É preciso colocar na ponta do lápis tudo o que vai mudar na sua vida se você vier para o evangelho. "Pastor, mas assim ninguém vai se converter", alguém poderia rebater. No entanto, é assim que evitamos uma enxurrada de falsos convertidos em nossas igrejas, para que apenas aqueles que o Espírito Santo realmente chama façam parte da vida da igreja. Precisamos apresentar o custo do discipulado. O modo como Jesus instrui isso é contando duas analogias. Uma diz respeito à construção, e a outra, à guerra. Assim, Jesus traz um princípio de sabedoria popular para instruir seus discípulos sobre como calcular o preço de vir à fé.

Em primeiro lugar, Jesus fala sobre construir uma torre. Se você inicia um empreendimento de engenharia e, próximo do fim, se dá conta de que não tem dinheiro para acabar a construção, as pessoas vão passar e rir da sua cara. "Esse aí começou a construir, mas não conseguiu terminar!" Em seguida, ele fala de uma guerra. O adversário tem vinte mil soldados e você, só dez mil. Você tem de calcular se seu exército é capaz de encarar essa disparidade. Se acredita que não vai dar conta, não vá para guerra — em vez de lutar e perder, ofereça um acordo de paz. Existe uma sabedoria maravilhosa da parte de Jesus sobre a importância de preparar-se. Especificamente, sobre preparar-se para as coisas do reino, para uma vida de discipulado.

Essa é uma verdade a respeito de entrar na fé, mas também é uma verdade sobre as escolhas que fazemos no dia a dia relacionadas à fé. Suponha que você é chamado para trabalhar numa empresa e, nesse trabalho, existam questões éticas complicadas. Você deve se perguntar se conseguirá ser fiel a Deus nesse emprego. No cenário político, por sua vez, é comum falar que todo político se corrompe, então o custo ético precisa sempre ser calculado com humildade. Em contabilidade, onde a cultural geral é dar um jeitinho para sonegar o máximo possível, o cristão precisa avaliar se dá conta da honestidade. O que acontece é que, sendo cristão, você deve sempre calcular o custo de sua fé. É o custo para você continuar crente. O custo para viver uma vida que glorifique o nome do Senhor em tudo o que você faz.

O mesmo deve valer para os relacionamentos românticos.

Eu comecei meu primeiro namoro aos 15 anos. A Isa, que se tornaria minha esposa, tinha 17 anos na época. Eu estava no meio da puberdade e ela, no início da vida adulta. Namoramos por seis anos até que, com 21 e 23 respectivamente, nos casamos — e nenhum de nós dois calculou o custo do que seria necessário até chegar ao matrimônio. Aliás, nenhum de nós tinha sequer maturidade para saber como calcular o custo disso e no que estávamos nos metendo. No auge da minha paixão juvenil, em vez de pedir a Isa em namoro, eu já a propus em casamento: "Eu quero me casar com você, mas como não tenho dinheiro ainda, a gente podia namorar até lá". Eu imaginei que seria mais fácil, confesso. Imaginei que seria mais rápido. Não sabia como calcular o que um relacionamento assim significava em termos emocionais, psicológicos, espirituais, financeiros e sexuais.

Tentamos muito nos casar mais jovens e namorar menos, mas ninguém nessa fase da vida ganha um salário que sustente de fato uma casa. Por isso, ao olhar em retrospecto para minha própria experiência de namoro, costumo pensar em cinco motivos para que outros não cometam o mesmo erro que eu. Sim, foi um erro que levou a um acerto maravilhoso, mas ainda assim foi um erro. Não é porque deu certo que foi certo. Se tivéssemos agido corretamente, teríamos esperado como bons amigos um momento mais propício para namorar — mas isso é algo que só consigo ver agora, e eu gostaria muito que naquele tempo houvesse quem me instruísse de que, se o namoro chega muito cedo, é preciso aprender cedo a calcular seu custo.

Essa introdução toda tem um motivo. Uma das perguntas que mais ouço dos adolescentes é: "Com quantos anos posso começar a namorar?". Também há a versão dos pais: "Com quantos anos posso deixar meu filho ou filha namorar?". Minha resposta passa pelo cálculo do custo de um relacionamento, em vista do que é cobrado. Precisamos nos preparar para quase tudo. Para o mercado de trabalho, fazemos cursos. Para o concurso da polícia, fazemos exercícios regulares. E para o casamento? Acho incrível como todos presumem a necessidade de preparo para o pastorado eclesiástico, mas achem que o pastorado familiar é algo que não cobra nada do indivíduo.

Você quer construir essa torre? Quer lutar nessa guerra? Então aqui estão cinco pontos a considerar para ver se o amor não chegou cedo demais.

Quando estiver emocionalmente preparado

Em primeiro lugar, você pode começar a pensar em namoro quando estiver emocionalmente preparado para isso. Em Efésios 5.22-33, o apóstolo Paulo aborda os relacionamentos matrimoniais, um texto que mostra o casamento como algo que cobra muito de nossos sentimentos:

> Esposas, sujeite-se cada uma a seu marido, como ao Senhor. Pois o marido é o cabeça da esposa, como Cristo é o cabeça da igreja. Ele é o Salvador de seu corpo, a igreja. Assim como a igreja se sujeita a Cristo, também vocês, esposas, devem se sujeitar em tudo a seu marido.
>
> Maridos, ame cada um a sua esposa, como Cristo amou a igreja. Ele entregou a vida por ela, a fim de torná-la santa, purificando-a ao lavá-la com água por meio da palavra. Assim o fez para apresentá-la a si mesmo como igreja gloriosa, sem mancha, ruga ou qualquer outro defeito, mas santa e sem culpa. Da mesma forma, os maridos devem amar cada um a sua esposa, como amam o próprio corpo, pois o homem que ama sua esposa na verdade ama a si mesmo. Ninguém odeia o próprio corpo, mas o alimenta e cuida dele, como Cristo cuida da igreja. E nós somos membros de seu corpo.
>
> "Por isso o homem deixa pai e mãe e se une à sua mulher, e os dois se tornam um só." Esse é um grande mistério, mas

ilustra a união entre Cristo e a igreja. Portanto, volto a dizer: cada homem deve amar a esposa como ama a si mesmo, e a esposa deve respeitar o marido.

Efésios 5.22-33

Aqui, Paulo fala sobre como homem e mulher devem lidar um com o outro dentro do matrimônio. É um texto sério e profundo sobre nossas emoções no casamento. A mulher precisa se submeter ao marido e seguir a liderança do pastor de sua casa como quem vê a autoridade de Cristo sobre a igreja. Respeito é um ato que corresponde a uma atitude emocional da mulher ao marido. Assim também, o marido deve amar a esposa como Cristo ama a igreja. Existe em Efésios 5 uma cobrança de profunda maturidade conjugal no relacionamento entre homem e mulher. O marido pastoreia a esposa, e ela se submete ao marido.

Isso exige muito de nós. Claro que nenhum de nós consegue cumprir piamente aquilo que o evangelho diz, seja na lua de mel, seja num relacionamento de muitas décadas. Mesmo assim, aquilo que o evangelho pede de nós como marido e esposa não é brincadeira. Não é simplesmente "sejam felizes e tudo bem". Existe um profundo compromisso de maturidade emocional. O marido pastorear a esposa e a esposa encontrar no marido um ideal de serviço e entrega análogo ao de Cristo é algo que demanda domínio dos próprios sentimentos, sabedoria para se portar socialmente, capacidade relacional madura. Não é coisa para criança. Casamento é algo para um homem e uma mulher.

O casal que namora, nos termos estabelecidos até aqui, é um casal que se prepara para esse tipo de relacionamento: um relacionamento maduro e profundo de entrega e sacrifício. Eu ouvia muito de gente mais velha: "Quem casa quer casa", como um ditado contra casar-se e morar com os pais. O que esquecemos é que quem casa quer Cristo. Quem casa precisa de um lar no qual haja uma Rocha capaz de firmar um relacionamento profundo e maduro. Muitas vezes, quando encontramos recém-casados, ainda estamos lidando com crianças. Os namorados estão se preparando para algo muito sério. Estão fazendo uma promessa muito séria. Não é coisa para quem encara o relacionamento de forma juvenil.

> Não é coisa para criança. Casamento é algo para um homem e uma mulher.

Se você for muito novo, ainda não estará emocionalmente bem formado para algo que requer justamente estabilidade emocional. Alguém poderia dizer: "Mas será que algum dia estaremos realmente prontos para algo tão profundo como o relacionamento interpessoal?". Talvez nunca completamente. Mesmo assim, quando você é muito jovem, você é o mais despreparado de todos. Pouquíssimos jovens são emocionalmente estáveis. Você ainda está no começo de sua formação como indivíduo, lutando pela construção de sua personalidade e caráter. Você acredita que já é maduro o suficiente para pelo menos começar a aprender a amar uma mulher como Cristo ama a igreja, ou para servir a um homem como a igreja serve a Cristo? Namoro não é assistir a seriados de tevê de mãos dadas. É um caminho para a entrega e o pastoreio.

Quando um homem se casa, ele assume um ministério. Agora, ele é pastor de uma família. Se ele não estiver pastoreando ninguém hoje, como poderá ser pastor de uma mulher e de seus filhos amanhã? Um homem e uma mulher que não discipulam ninguém, que não encorajam ninguém à fé, que não exercem hoje os ministérios dados por Deus a todo o crente, ensinando e exortando uns aos outros, demonstram não estar treinando para o que Deus espera deles dentro de um matrimônio. Se você não está pelo menos caminhando na direção dos atributos emocionais que Deus pedirá de você no casamento, é improvável que seja sua hora de namorar. Ninguém acredita que um homem bêbado, ganancioso, mentiroso e violento se torne um bom pastor só porque foi consagrado ao ministério, mas muitas jovens acreditam que seus namorados emocionalmente infantis se tornarão bons maridos tão logo ouvirem o "pode beijar a noiva".

Existem questões emocionais relacionadas ao casamento e ao namoro sério que são muito profundas e que cobram muito das partes envolvidas. Se o namoro for assumido como algo não recreativo, algo diferente de ir ao *shopping* passear, então poderá haver um objetivo emocionalmente sério, que é a consumação de um casamento que visa o sacrifício e a entrega para toda a vida. Quando se é jovem demais, há pouca estrutura emocional para esse tipo de coisa. Muitos até se assustam quando são perguntados pelo casamento no começo do namoro: "Calma, gente. Só temos poucos meses de namoro. Para que essa pressão toda?". Se você realmente acha que é pressão demais ser cobrado sobre matrimônio no começo do namoro, então talvez não esteja emocionalmente pronto para a pressão do namoro. Nossos namoros são extremamente afetados pelas nossas instabilidades emocionais, que levam relacionamentos com potencial de ser frutíferos no futuro a se queimarem por terem acontecido antes da hora.

Se você ainda é emocionalmente frágil e instável, como é comum à adolescência desregrada, se ainda não tem meios de se doar por alguém, se tem dificuldade para aceitar autoridade sem sofrer delongadamente, então você precisa se preparar melhor antes de começar a pensar em relacionamento amoroso. Claro que isso é algo que aprendemos mais plenamente dentro de um relacionamento, e de fato existe uma maturidade emocional que só alcançamos depois de casados, mas é irresponsável se dedicar e se prender emocionalmente de modo tão forte a alguém estando com seus sentimentos ainda em estágio tão primário de formação. Jovens que mal conseguem aprender matemática na escola e pouco se dão com gramática ou geografia, já querem aprender a morrer sacrificialmente ou se sujeitar à liderança pastoral de outro púbere de mesma idade. Boa parte das trevas espirituais que rondam a alma de adolescentes hoje se deve ao despreparado emocional para assumir relacionamentos. É como o jovem no primeiro dia de academia que vê os fisiculturistas e deseja levantar os pesos que eles levantam: não cresce os músculos e só lesiona a coluna.

No fim, por não entenderem o próprio emocional e o emocional do outro, tudo vira conflito dentro do namoro. O namoro se torna, assim, um poço de desestabilização emocional. Enquanto o casamento possui seus deveres e direitos bem estabelecidos nas Escrituras, o namoro é um limbo relacional no qual, por vezes, a sensação é a de não estar construindo nada verdadeiramente sólido. Em vez de se prepararem para amadurecer usando o namoro como instrumento para nutrir aquilo que ordena a Palavra de Deus, o namoro se torna fonte de briguinhas, raiva, discussão e desistências. E isso por vários motivos. Não é tão somente falta da Palavra de Deus ou de aconselhamento bíblico, mas também falta de vivência, da maturidade que não se encontra estudando os livros da escola dominical. Há um crescimento que só se encontra na vivência, e isso requer idade. O tempo é a matéria-prima da maturidade — alguns não usam bem o tempo e se tornam velhos tolos, mas a verdade é que ninguém encontra maturidade emocional sem usar o tempo como instrumento base. Assim, relacionamentos que poderiam ser frutíferos e abençoadores no futuro são destruídos porque foram adiantados para um momento da vida de extrema fragilidade.

Além disso, as manifestações externas de carinho dentro de um namoro precoce não possuem o mesmo significado das manifestações de um relacionamento entre adultos. Você de fato acredita quando sua namorada diz que daria tudo por você, quando ela nunca teve a chance de fazer qualquer sacrifício real na vida? Chega a ser bobo ver jovens rapazes dizendo que morreriam pela namorada, quando nunca se entregaram com dedicação e sofrimento por nada além de jogos *on-line*. A pouca experiência e a imaturidade vivencial são os piores berços para o nascimento de um relacionamento sólido. Vocês podem até se amar e ter sido "feitos um para o outro", mas tudo pode degringolar por não ser o momento adequado. A pessoa certa na hora errada.

"Foi muito difícil para mim e para ela", disse um amigo que começou a namorar ainda muito emocionalmente imaturo. "Com corações tão instáveis, foi um milagre de Deus o relacionamento ter continuado." Estágios primários de juventude estão muitas vezes associados a esse tipo de imaturidade que só pode ser vencido com um avanço cronológico. Hoje, não poucos crentes se casam cedo demais por questões associadas à instabilidade emocional no namoro, como a concepção de uma criança, a rebeldia contra os pais, a pressão familiar, a tentativa de diminuir as brigas ou de aplacar as críticas dos outros ao relacionamento, ou o próprio desejo de sair de casa. O que acontece é que depois falta a maturidade emocional para levar até o fim esse desafio, resultando nessa massiva onda de divórcios que temos neste país, inclusive na igreja. Por que não esperar estar mais bem formado interiormente para seguir algo tão sério como um namoro?

Se o namoro for um ambiente para nutrir maturidade emocional, teremos namoros que contribuem para o benefício do evangelho por preparar um homem e uma mulher de Deus para um matrimônio saudável. Pena que seja difícil isso acontecer em namoros exageradamente longos, e mais difícil ainda quando a pessoa já é desestabilizada emocionalmente e espera que um relacionamento represente a cura.

Quando estiver psicologicamente preparado

Em segundo lugar, você deve começar a namorar quando estiver psicologicamente preparado. Ser o líder de um lar requer uma dedicação que os jovens muitas vezes não dispõem de meios psicológicos para oferecer. Argumentos do tipo "é só namoro, não é um casamento de fato" transmitem muito dessa cultura moderna de namoros recreativos, que funcionam como um *playground* de distração adolescente, não como preparação para o matrimônio — sim, o namoro deveria ser mais uma academia que um parquinho, mais uma consulta com o nutricionista que um rodízio na churrascaria. Mesmo assim, muitos acham que, por serem indivíduos dotados de autoconsciência, já estão preparados para um relacionamento, como se bastasse existir para ter tudo o que se exige de um namoro. Será que alguma firmeza psicológica não se faz necessária?

Como já lemos em Efésios 5, o marido é um líder espiritual, e a esposa é alguém que segue, como a igreja, um pastoreio santo. Juntos e igualmente, homem e mulher dominam a criação de Deus como representantes de sua majestade. No texto da criação do casamento em Gênesis 2, vimos que o homem deve deixar pai e mãe e se unir à sua mulher. Deixar os pais e começar nova família não é coisa de criança. Demanda uma força de consciência, uma coragem para decisões reais. É algo de quem está crescendo e amadurecendo em seu psicológico. Infelizmente, muitas moças, em especial, lamentam lidar com namorados sem força moral para tomar qualquer decisão importante ou para assumir as menores responsabilidades. Quando você se casa, não quer um filho para criar ou uma filha para mimar, você quer um homem ou uma mulher ao seu lado, um igual e correspondente. O namoro maduro é aquele no qual ambos crescem psicologicamente em suas visões de si, do mundo e da vida.

Um dos principais problemas de namorar cedo é que não estamos sequer preparados neurologicamente para julgar se nosso namoro é precoce ou não. No excelente *Líder adolescente*, primeira obra evangélica a tratar a adolescência sob a perspectiva da neurociência no Brasil, José Bernardo fala sobre como ser jovem é ser bioquimicamente imprudente, é tomar decisões sem pensar no longo prazo em consequência da formação neurológica.[1] Quando jovens, nosso córtex pré-frontal (a parte anterior do lobo frontal) ainda não está bem desenvolvido, por isso estamos despreparados para pensar a fundo no amanhã. Sempre achamos que vamos dar conta do

---

[1] José Bernardo, *Líder adolescente: O adolescente cristão pode e deve liderar* (Santo André, SP: Salva Vidas, 2010).

agora, e nenhum desafio parece grande demais. Até quem concorda plenamente com o que estou dizendo pode pensar: "Mas meu caso é diferente", "A gente aguenta" etc. A verdade é que conheci poucos jovens que não se considerassem exceção às regras.

Pessoas que estão caminhando para um relacionamento precisam aprender a ser adultos, maduros e a ter seu psicológico bem estabelecido. Não estou pedindo que você faça uma ressonância magnética para avaliar como anda o desenvolvimento do seu sistema neurológico. Basta se comportar como adulto e ser psicologicamente capaz de lidar com as pressões da vida. Você tem de ser psicologicamente capaz de lidar com as dores da outra pessoa, sem fugir dos problemas. Tem de ser psicologicamente capaz de guiar um lar e entender que a qualquer momento vocês podem ter filhos e terão de cuidar deles. Você consegue lidar com isso? Se você se casa e a sua esposa recebe o diagnóstico de depressão, ou se o seu marido descobre uma doença grave, você deverá estar preparado para essas e tantas outras dificuldades que surgirão à sua volta. Não poderá simplesmente ir embora. Você não tem mais papai e mamãe para resolver tudo. A decisão agora é toda de vocês. O cuidado é todo com vocês. Você deixou pai e mãe, e agora há a responsabilidade do cuidado do próprio lar. É preciso dar conta disso.

Agora, sabe algo que prejudica bastante o psicológico? Namoros exageradamente longos. Existe um desgaste da autoconsciência e da consciência sobre o outro nesses namoricos intermináveis. Com tempo demasiado de namoro, você terá passado por lutas e dores relacionadas à sua capacidade psicológica e à sua compreensão de mundo. Aqueles que já namoram por muito tempo certamente vão se identificar com isso. Um namoro gera conflitos na psique por vezes difíceis de suportar sem o devido preparo. Já aconselhei muitos jovens que ainda lutam para superar as tristezas e frustrações de namoros ruins. Caso suas compreensões da realidade estivessem mais formadas, esses relacionamentos não teriam sido tão destrutivos como foram na juventude.

Esse ponto às vezes se manifesta de maneira diferente para o homem e a mulher. Em geral, o homem se deprime por estar namorando há cinco anos e ainda não poder dar à namorada o casamento que ela tanto sonha. É um problema psicológico de impotência. O rapaz entende sua responsabilidade financeira, luta firmemente para controlar as tensões sexuais e anseia seguir adiante com o relacionamento, mas é novo demais para ser atrativo ao mercado de trabalho. Quando muito jovem e ainda não bem preparado para lidar com as sucessivas frustrações, enfrenta problemas que vão perturbar sua compreensão de mundo e sua percepção da existência. No caso das mulheres, elas acabam passando horas olhando vestidos de noivas na internet e chorando copiosamente de inveja pelo casamento das amigas. Por quê? Porque já está namorando há anos, está louca para se casar com a pessoa que ama, mas não pode fazê-lo, pois ainda são muito novos e não têm recursos para tal.

Claro, não são essas as únicas crises psicológicas que afligirão o casal de namorados, mas são exemplos bastante comuns. Há um choro e ranger de dentes que é inevitável quando entramos cedo demais em um relacionamento amoroso. Saber que, passados vários anos de namoro, ainda demorará mais tantos para concretizar o casamento é desgastante psicologicamente e afeta o próprio namoro e a qualidade da relação. Ninguém foi feito para viver nessa expectativa constante pela consumação adiada do relacionamento. Quando uma pessoa namora, seu corpo, sua alma e a configuração de sua personalidade começam a se configurar para o matrimônio, para a sexualidade e para a interdependência. Manter essa tensão emocional e física por muito tempo faz desfalecer a alma: "A esperança adiada faz o coração ficar doente" (Pv 13.12).

Nesse adiar constante do sonho conjugal, portanto, há um desfalecer em vez de um fortificar. Sabe a sensação de ter de adiar um casamento com data marcada? A desolação de nunca conseguir o bastante para sustentar o matrimônio por ser jovem demais? Isso pode acabar até mesmo com relacionamentos que poderiam ser frutíferos, mas que se desgastam por acontecerem na hora errada. E essa não é uma situação na qual precisemos estar. A sabedoria de Provérbios nos questiona se esse namoro precisava mesmo começar agora, ou se não seria mais inteligente esperar o tempo propício, no qual crises de ruína psicológica possam ser evitadas. Esse adiar constante da esperança não apenas prejudica o casal de namorados, mas também põe em xeque todo o relacionamento, uma vez que ele não foi feito para ser vivenciado dessa forma.

Por ser tão comum nossa incapacidade de julgar nossos relacionamentos quando ainda somos muito jovens, é fundamental contar com ajuda de pais e pastores. Isso é importante porque a paixão nos deixa burros. Consegue imaginar o cenário de um pai de família que larga a esposa de anos para ficar duas noites com a secretária? Apaixonar-se é como ficar bêbado. Nem sempre tomamos boas decisões. O pecado, de fato, nos deixa estúpidos. O desejo sexual intenso nos faz tomar decisões absurdas. Esse caldeirão de sensações faz com que moças permaneçam em relacionamentos cuja toxicidade só ela parece não perceber. Quando estamos apaixonados, precisamos desconfiar de nós mesmos. A paixão tira de nós a capacidade de pensar racionalmente.

É por isso que é tão insensato o discurso adolescente de que sua igreja não entende você, de que seu pastor o persegue e que seus pais não gostam de você porque está todo mundo contra o namoro. Se está todo mundo contra o seu namoro, a última pessoa em que você deve confiar é em si mesmo. Normalmente, se seus pais não apoiam seu namoro, eles estão certos. Às vezes pais erram, é verdade, mas você precisa de outras vozes de autoridade à sua volta para abalizar sua vida nesses casos. Se outras vozes apoiam seu namoro, mas os pais não, é um ambiente de conversa e diálogo importante. Mas se seus pais são contra o namoro, e também o são seus pastores, parentes e discipuladores mais velhos, é bom tomar cuidado. Se só quem é a favor daquele relacionamento é o namorado ou a namorada e meia dúzia de amigos da mesma idade, não é sábio confiar nos próprios sentimentos. C. S. Lewis escreveu que quando vamos à literatura, temos a oportunidade de enxergar a realidade por vários olhos. Podemos ver a mesma coisa pela percepção de outras pessoas. Essa é a sabedoria do livro de Provérbios. Ele nos concede a possibilidade de encontrar em outras pessoas sabedoria que nos auxilia na compreensão das coisas. Conselhos são importantes.

Infelizmente, namoros muitas vezes são só instrumentos para nos deixar mais bocós em vez de ser um laboratório

> Se está todo mundo contra o seu namoro, a última pessoa em que você deve confiar é em si mesmo.

para nos conceder maturidade. O namorado que não consegue lidar com seus desafios psicológicos não vai aprender a fazê-lo só porque se casou. A namorada que não sabe tomar decisões e que não consegue guiar nada na própria vida não vai melhorar só porque se casou. É preciso saber lidar com isso desde já, e encontrar no namoro um lugar para se organizar psicologicamente visando os desafios do casamento. Se você não tem estrutura para se comportar como adulto, não deveria estar pensando em namoro, deveria estar preocupado em crescer. Casamento não é coisa para criança. Se o namoro é uma preparação para o casamento, no namoro você deveria pelo menos estar próximo da vida adulta e se preparando cada dia mais para ela.

Quando estiver profissionalmente preparado

Em terceiro lugar, você deve entrar em um relacionamento amoroso quando estiver profissionalmente preparado. Seria bom pararmos de negligenciar o provérbio que diz: "Termine primeiro o seu trabalho a céu aberto; deixe pronta a sua lavoura. Depois constitua família" (Pv 24.27, NVI). Esse é um texto fundamental para quem está namorando ou pensando em namorar. A Bíblia deixa claro que devemos primeiro cuidar do nosso trabalho, deixar pronta a nossa lavoura, antes de constituirmos família. Você precisa ter meios para alimentar sua casa antes de tentar viver à dois — ninguém vive de amor quando chega a conta de luz no fim do mês. Talvez seja difícil casar quando vocês ganham cada um apenas meio salário-mínimo da bolsa universitária. Como um bolsista quer casar se até o estagiário manda nele? (Abaixo disso, só os animais e os seminaristas...)

Não estou falando que você só pode casar quando for rico ou quando não tiver nenhuma preocupação financeira. Mas convenhamos que ninguém vive de amor. O amor sustenta o relacionamento, mas não concede sobrevivência ao corpo. Quando Paulo diz que o homem deve ser como Jesus salvando o corpo da esposa em Efésios 5.23, eu e outros teólogos acreditamos que se trata de provisão física. A ideia é que o marido é salvador do corpo por meio de sua função de sustento. Ele trabalha para impedir que a esposa morra de fome, já que as mulheres no mundo antigo não podiam sequer trabalhar para obter seu sustento.

Se você quer começar uma família, precisa estar preocupado em salvar o corpo de sua esposa. Certa vez, eu me sentei com um jovem casal de namorados. A moça disse que estava com problemas no namoro, tendo chegado até a agredir fisicamente o namorado. Então, tive um tempo de anamnese com o casal, fazendo várias perguntas sobre o relacionamento. Percebi que havia um problema particular meio escondido. A questão é que o rapaz não gostava de trabalhar, e já estava planejando trabalhar pouco no casamento. A conversa dele era mais ou menos a seguinte: "Minha principal função no casamento é ser pastor do lar, não é? Então tenho de pastorear minha família, e preciso de tempo para isso. Não posso trabalhar, porque se eu trabalhar muito, como vou estudar para ensinar minha mulher?".

Tentei convencê-lo de que era excelente que ele tivesse interesse em ser mestre na Palavra para sua esposa, mas que ele não precisava ser professor de seminário para a esposa a fim de ser um marido fiel. A esposa não vai querer ouvir o devocional com a barriga roncando de fome, nem vai estar muito a fim de um culto doméstico debaixo da ponte. A primeira obrigação do marido é sustentar a casa. No encontro seguinte, ele disse que fez uns cálculos: "Pastor, já entendi. Fiz umas contas e vou achar um emprego que me pague meio salário-mínimo. Com isso, acho que consigo sustentar minha casa". Estranhamente, aquela moça não quis terminar o namoro. Ela parecia concordar que o marido planejasse a pobreza. Fico me perguntando o que será deles quando descobrirem quanto custa um antibiótico na farmácia.

Parece bizarro, mas quantos de nós não namoramos do mesmo jeito? O namoro é o estágio que deveria guiar ao casamento, mas o rapaz namora desempregado, sem perspectiva de emprego. Quando jovens me perguntam sobre namoro, minha primeira questão é sobre trabalho. Se eles não acham que conseguirão sustentar uma casa em dois ou três anos, meu conselho é que esperem um pouco mais. Sempre fico feliz que jovens recusem propostas de namoro porque não possuem previsão de conseguirem se casar. Essa é uma postura de maturidade. É uma postura de entender que casamento não é festa, não é brincadeira. Não significa, mais uma vez, que você só pode namorar quando tiver emprego e salário, mas sim que esteja vislumbrando isso com proximidade, pelo menos. Isso é ser maduro, é ser cristão. É entender que Deus cobra de você o sustento da casa. Vocês não vão viver só dos sentimentos.

Aluguel, faculdade, feira, farmácia, internet: tudo isso custa, e você precisa ter meios para provê-lo antes de construir um novo núcleo familiar. Você sabe quanto está o preço do feijão? Sem arar a terra do trabalho e da preparação profissional, não espere nenhuma colheita de casamento. É loucura casar desempregado — o que alguns jovens fazem por não suportar a tensão sexual de terem começado a namorar muito cedo. Sem a capacidade de prover para o casamento, não há permissão bíblica para a criação de um novo núcleo familiar. Claro que o desemprego pode alcançar a família em algum momento, mas não se pode adentrar o matrimônio sem saber se haverá o que comer no dia seguinte ou tendo de depender da ajuda de familiares.

A sabedoria do provérbio diz que o caminho para a colheita deve estar pelo menos traçado, e que há esperança "pé no chão" de bons frutos no futuro próximo. Algo precisa ser visualizável em algum prazo aceitável. Você está arando a terra na faculdade, e já sabe mais ou menos quando vai se formar. Já passou no concurso público, e está só esperando começar o trabalho. Está empreendendo e vislumbra retornos satisfatórios em breve. Se a família só deve ser construída depois da lavoura pronta, começar um namoro precisa estar atrelado a uma colheita próxima. Agora, se um rapaz que está no começo da vida adulta, ou mesmo na adolescência, não consegue boas notas na escola ou já está iniciando o terceiro curso universitário sem ter concluído nenhum dos outros dois, não gosta de ajudar nos afazeres de casa, e ainda assim quer pedir a moça da igreja em namoro, então não há aqui lavoura nenhuma em vista. Moça, se ele o convidar para ir ao cinema, mande que ele convide o seu pai!

Penso que a sabedoria de Provérbios faz do trabalho um requisito para o matrimônio não apenas por questões financeiras, mas sobretudo pela formação do caráter que o trabalho gera naquele que labuta diariamente, de sol a sol. Talvez ninguém esteja preparado para liderar uma família se nunca ralou no batente do mercado. Há algo que se aprende com o emprego que faz do homem um pai e marido melhor. Da mesma forma que quem não cuida da família é desqualificado para o pastorado, assim também quem não cuida de trabalhar é desqualificado para a família.

Se negligenciarmos esse ditado bíblico... sabe aquele seu mestrado de dois anos na França ou seu doutorado de quatro anos no Japão? Esqueça. Você não conseguirá passar tanto tempo longe da pessoa que tanto ama — mas você é apaixonado por sua profissão e deseja, muito, especializar-se. O que fazer? A menos que você faça isso depois de algum tempo de casado e/ou sendo bem remunerado para estudar, você ou termina seu namoro de oito anos ou desiste dos estudos. Ou, em último caso, namora à distância por uma infinidade de tempo, sofrendo e fazendo a outra pessoa sofrer. Talvez seja o caso de deixar para namorar depois de passar por essas fases, evitando sofrimento desnecessário e se qualificando de acordo com seus planos. Nada pior do que passar o resto da vida contando para os sobrinhos o que você poderia ter se tornado e não se tornou porque já namorava havia muitos anos e não pôde abraçar certas oportunidades.

Essa é a tolice de se comprometer com alguém num momento tão tenro na vida. Ao se comprometer num namoro, você precisa dar atenção a alguém, o que significa deixar de dar atenção a outras coisas. Entrar no namoro é renunciar a coisas que você ainda nem sabe quais são. Você não sabe quais serão as escolhas profissionais e acadêmicas que surgirão, e do que precisará abrir mão na vida por namorar cedo demais. Cada escolha, uma perda. Começar a namorar já mais velho, ciente do que está abrindo mão, é maturidade. Começar a namorar ainda cedo, dizendo que "abriria mão de qualquer coisa por você", mas sem saber de fato o que o futuro reserva, é simplesmente tolice. Além do mais, é crueldade deixar alguém preso a você a ponto de que ele ou ela tenha de renunciar a possibilidades de futuro para se dedicar a uma relação volátil, que ainda não passou pelo selo do matrimônio. Vocês acabam tendo de fazer sacrifícios imensos pelo outro, quando o outro pode ir embora a qualquer momento.

Esperar o tempo de Deus é sempre melhor. Muitas vezes deixamos de acreditar que, se for para encontrar alguém, será no tempo certo, organizado pelo divino. Se você tem medo de perder a moça ou o rapaz de que gosta por não iniciar logo o namoro, saiba que há um Senhor soberano que fará com que tudo aconteça da melhor forma. Ele não precisa de ajuda para unir você com quem ele planeja.

Quando estiver espiritualmente preparado

Em quarto lugar, você deveria se preocupar com namoro quando estiver espiritualmente preparado para isso. Ainda em Efésios 5, lemos Paulo associando o relacionamento de Cristo e a igreja com o relacionamento de marido e mulher. Ao entrar no matrimônio, ingressa-se em um relacionamento de pastoreio, sacrifício, entrega, serviço, amor e respeito. É um relacionamento profundamente espiritual. É um relacionamento no qual se assume um ministério. Casar é tornar-se sacerdote ou sacerdotisa do reino de Deus.

No casamento, você servirá em uma casa no intuito de fazer dela uma igreja de Cristo. É um trabalho sério, espiritualmente árduo. Se você não está caminhando espiritualmente para isso e não está transformando o namoro num instrumento para isso, não está fazendo de sua solteirice um preparo para o casamento. Casamento se destina a pessoas que desejam caminhar para a maturidade espiritual a fim de servir a própria casa.

Por isso é uma desgraça namorar e, principalmente, casar-se com um descrente. Namorar um descrente é dizer que você está se preparando para se casar com alguém que é inimigo de Deus e que não vai pastorear sua casa para fazer dela uma igreja. É escolher destruir a própria vida. É escolher trazer o diabo para o próprio lar. Agora, você pode até não se casar com um descrente, mas quando seu namorado é alguém de fé oscilante, quando sua namorada é alguém que parece não estar assumindo a obra de Cristo no coração dela, trata-se, a meu ver, de motivo suficiente para terminar o namoro.

Embora namoros acabem por qualquer bobagem, a fraqueza na fé e o abandono da obra de Cristo muitas vezes não são elementos levados em conta. Se a pessoa abandona Jesus e faz um ritual para Satanás na sala de casa, é possível que você se assuste, mas se ela deixa de frequentar os cultos e foge do pastoreio e do discipulado, a preocupação não é tão grande assim. Deveríamos estar construindo no namoro aquilo que esperamos do outro para o casamento. O namoro deve ser um lugar de atestar a fé um do outro.

Se você não tem firmeza na sua fé, como quer entrar num relacionamento no qual é também responsável pela fé de outra pessoa? Se não consegue firmeza em Cristo e em sua obra, se não consegue se arrepender dos seus pecados, participar de um discipulado, servir na comunidade, como pode se imaginar sendo o pastor de uma casa? Como poderá contribuir para o reino de Deus dentro de uma família? Você não deveria pensar em casamento enquanto não pensa no culto de oração. Não deveria pensar em casamento enquanto não pensa na escola bíblica dominical. Não deveria pensar em casamento, nem deveria ficar olhando foto de vestido e de cerimônia no Pinterest, enquanto não cumpre sua leitura bíblica anual.

Quando você se casa, está se colocando como pastor de uma mulher. Quando você se casa, está olhando para um homem e dizendo que será instrumento de Deus na vida dele. Juntos, vocês devem dominar e governar o mundo, fazer o bem para a sociedade e construir um lar. Isso não é coisa para criança. Muito menos para crianças na fé. Se a sua vida espiritual não vai bem, você não deveria participar da vida espiritual de outra pessoa. Se a moça é nova convertida, que tal esperar a confirmação de que ela é realmente crente? Se o rapaz é descrente, mas começou a ir à igreja e até já fala em se batizar, que tal esperar um pouco para ver se essa fé é real? Não vale arriscar passar a vida com alguém que você nem sabe se está firmado na fé direito. Colocamos nossa vida relacional em grande risco quando tomamos decisões motivadas por carência. As piores decisões são tomadas por medo de ficar só. Eu tenho a forte convicção, baseada em alguns anos de pastoreio, que é muito melhor ficar sozinho do que entregar a vida espiritual a quem não está cuidando nem da própria.

Além disso, há também a questão de como viver seu serviço de espiritualidade no ministério. Com raríssimas exceções, você ainda não sabe se será chamado para o ministério ou não. Na adolescência e juventude, não temos uma definição profissional fechada, o que significa que o seminário pode ser uma opção para aqueles que visam o pastorado ou o campo missionário. Então considere que, em poucos anos, você pode ser capacitado por Deus para ser um pregador razoável, a ponto de sentir ardendo dentro de você uma chama por deixar tudo para trás e se dedicar à teologia, ao ensino e ao cuidado pastoral. Sua igreja, então, quer enviá-lo ao ministério formal. Você quer largar o estágio e a universidade e ir para o seminário. Seria uma linda história de dedicação ao evangelho, se você não estivesse namorando há oito anos. Você fica, como dizem, entre a cruz e a espada. Ou continua trabalhando para poder se casar, ou larga o namoro, ou enrola a namorada por mais seis anos, pelo menos (mais quatro anos de seminário, mais uns dois anos até se estabelecer numa igreja). No fim das contas, ou você deixa para trás sua namorada para perseguir o ministério — o que é uma tristeza — ou adia seus estudos e suas preparações — o que também é horrível. Você se coloca entre duas escolhas ruins porque escolheu se precipitar no romance.

> Eu tenho a forte convicção, baseada em alguns anos de pastoreio, que é muito melhor ficar sozinho do que entregar a vida espiritual a quem não está cuidando nem da própria.

De fato, expectativas de vida muito distintas podem aparecer dentro de qualquer namoro. Minha esposa começou a namorar comigo imaginando que eu trabalharia com contabilidade, mas acabou se casando com um seminarista. Depois, saí da imobiliária em que trabalhava para evangelizar em escolas. A Isa decidiu me acompanhar durante todo esse processo, mas ela poderia não ter interesse em ser esposa de pastor, ou mesmo ter sonhos de vida diferentes dos meus. Já tive de aconselhar um casal em que a jovem queria ser missionária e o moço, astro de *rock*, e outro em que o rapaz se empenhava na obra evangelística na favela, ao passo que a moça nunca tinha posto os pés num ônibus em sua vida. Eram expectativas muito diferentes de como seria o casamento e o ministério, o que resultou numa bifurcação sem saída possível. Esses conflitos sempre são potencializados por relacionamentos intensos que se iniciaram antes de definições mais claras na vida dos envolvidos.

Como Paulo ensina, os solteiros podem se dedicar mais intensamente à obra do Senhor (1Co 7.32). A solteirice, relacionada não apenas a não estar casado, mas também a não estar namorando, fornece um tempo especial para a dedicação ao serviço de Deus. O namoro cedo na vida priva o crente de uma etapa da vida que não volta mais (se voltar, é por meio da viuvez ou do divórcio, o que não é desejado em nenhum nível). Você pode usar esse tempo para a preparação ministerial de tal modo que não poderia fazer se estivesse namorando, além de ter oportunidade de se dedicar ao evangelismo e ao cuidado religioso com mais intensidade do que seria possível dentro de um relacionamento. Você não deve se achar esquisito por estar sozinho. Antes, deve agarrar esse momento para viver aquilo que não poderá viver depois. Quando tiver de cuidar primeiro dos filhos, preparar o culto doméstico da família, levar o lixo para fora, arrumar a boia da caixa d'água que emperrou e consolar o cônjuge num momento emocional complicado, tudo fica mais difícil. Além disso, esse mesmo texto de Coríntios deixa claro que o casado deve buscar agradar o cônjuge. É antibíblico negligenciar a família para fazer missões ou algo parecido, e isso acaba sendo uma realidade parcial para todo namoro, como preparação para o casamento.

Receba sua juventude como o momento propício para se dedicar ao Senhor de um modo que não poderá fazer namorando ou casado. Do contrário, qualquer viagem missionária mais longa será uma impossibilidade e você terá deixado escorrer por entre os dedos o momento em que isso seria possível. Passar dois anos em outro país pregando o evangelho? É bom desistir... ou, então, deixe para namorar depois que tiver alguma luz sobre o caminho que deve traçar, e depois que tiver aproveitado o tempo de solteiro para atividades que só são possíveis nessa fase da vida.

Quando estiver sexualmente preparado

Em último lugar, o melhor momento para pensar em namoro e casamento é quando você estiver sexualmente preparado. "Espere aí", você diz, "isso não seria uma questão para ser tratada somente no casamento?" Veja bem, muitos acham que, ao se casarem, conseguirão resolver seus conflitos sexuais. Por exemplo, alguém que luta contra tentações homossexuais pode ser levado a pensar que com o casamento essas tentações passarão. Pessoas que lutam contra pornografia imaginam que casar solucionará todos esses problemas. Infelizmente, nunca é tão fácil. Eu pastoreio mais homens casados viciados em pornografia que solteiros viciados em pornografia.

Vivemos num tempo em que o pecado sexual se alastra profundamente. Mas tenho minhas dúvidas de que as coisas tenham sido melhores no passado. O pecado sexual ronda por aí e as pessoas se entregam a seus desejos desde sempre. Namorados e namoradas precisam se casar com alguém que seja sexualmente maduro, e maturidade sexual na solteirice se chama castidade. Você entregará sua vida a alguém a quem prometeu pureza e permanência. Será só você e ele, e mais ninguém. Se isso não é vivido na solteirice durante o namoro, você não deveria procurar alguém para se comprometer sexualmente.

Muitas jovens minimizam o dano de namorados viciados em pornografia. Acham que o casamento resolverá a questão. Não resolve. O que resolve é Cristo entrar ali e transformar aquele coração. Muitos jovens minimizam o que o sexo pré-matrimonial significa. Pensam que não há problema fazer sexo com a namorada com quem vão se casar. Mas e se vocês não se casarem? O casamento sempre parece uma certeza, até que acontece algo que abala a relação. Além disso, o pecado sexual não vai embora porque você se casou. Ele só muda de configuração. Aquele que deseja satisfazer os próprios desejos proibidos, quando se casar, aquilo que se torna permitido deixa de ser proibido, e agora outra proibição será buscada. Daí surgem os adultérios, a pornografia e todo tipo de pecado contra o cônjuge.

Não minimize a gravidade do pecado sexual pré-matrimonial. Não minimize a gravidade da pornografia. Tudo isso permanece em você de alguma forma. Nós também somos o nosso passado. Temos de aprender a abandoná-lo, obviamente. Porém, se esse passado ainda faz parte do presente, fazendo parte da luta contra o pecado, leve isso muito a sério. Eu nunca aconselho jovens que ainda lutam contra o pecado sexual — e perdem constantemente — a começarem novos relacionamentos. Você quer se casar? Comece a se guardar desde já. Senão, você trai por antecipação. Caso não esteja conseguindo vencer as tentações do pecado sexual, é importante que trate isso antes de entrar em um relacionamento. É mais fácil lidar com isso agora do que depois.

Muitas vezes, nós acendemos o amor fora de hora. Na linguagem hebraica, "amor" incluía o sentido de desejo sexual, quando pertinente ao relacionamento conjugal. É o que a Sulamita diz às suas amigas por três vezes em Cântico dos Cânticos:

> Prometam, ó mulheres de Jerusalém,
> pelas gazelas e corças selvagens,
> que não despertarão o amor antes do tempo.
> Cântico dos Cânticos 2.7; 3.5; 8.4

Começar a namorar cedo demais é acender o amor antes do tempo. Assim, namoros longos acabam sendo um lugar para cultivar a imoralidade. O namoro se torna o tipo de ambiente no qual se usufrui da intimidade relacional do casamento sem que se possa usufruir da intimidade física do casamento. Namorar cedo é pecado? Apenas contra a sabedoria, mas não é pecado no sentido formal. Não há qualquer lei específica contra o namoro precoce. Mas namorar cedo levará tão certamente ao pecado que deveria ser considerado como tal. É trilhar a caminhada rumo ao sexo com passos cada dia mais largos. Encontrei pouquíssimos casais de namorados, mesmo entre os mais maduros espiritualmente, que não tenham cometido um deslize em algum nível na área sexual.

Muitos pecados acontecem porque casais de namorados se colocam em situações impróprias a dois crentes solteiros. Quando você namora, ainda não está casado. Você é um solteiro. Você não fica sozinho num quarto com uma mulher. Você não se coloca em situações de intimidade com um homem. Você não se entregou ainda a ninguém para isso. Eu, casado, não fico sozinho no carro com qualquer mulher. Quando eu precisava de carona para voltar para casa, eu só entrava no carro da outra professora que morava perto de mim se houvesse alguém para nos acompanhar. Não é certo ficar sozinho com uma mulher que não é sua ou com um homem que não é seu. Namorados, por sua vez, não veem problema nesse tipo de situação, e acabam passando dos limites. É um escândalo que a esposa do pastor saia sozinha num carro com um dos diáconos, mas dois jovens acham normal curtirem sozinhos por aí. Namorados que tentam apreciar só um pouco do que seria estar casado acabam aproveitando muito mais da vida de casado do que pretendiam inicialmente. Há aí uma tensão sexual própria do namoro que só pode ser suprida fora do namoro, o que gera situações propícias ao pecado.

O pecado sexual no namoro tende a ser um dos mais devastadores à alma humana. O pecado contra o corpo, diz Paulo, é dos piores que existem. É ofensivo a Deus como todos os outros pecados, mas produz efeitos terríveis em quem o comete. A batalha necessária para passar por cima desse pecado também é excruciante, mais que no caso de outras falhas morais. Muitas vezes dizemos que o passado não importa, mas existem coisas que nos definem e nos marcam para sempre. O passado configura o presente. Todos somos reservatórios do que já aconteceu. Isso não significa que não podemos passar por cima do passado e nos reconfigurar à luz do evangelho, mas não podemos achar que todo e qualquer erro cometido na vida pode ser limpo. Cristo nos lava da culpa, mas as consequências do erro muitas vezes permanecem. O pecado sexual transforma por dentro e por fora, e afeta todo relacionamento futuro. Quando ruim, o sexo no namoro gera traumas; quando agradável, gera comparações que corroem a experiência futura. Nada de bom sobra quando os corpos se separam, apenas deformação do caráter e degradação do relacionamento.

Muitos homens que duvidam de sua salvação apontam pecados sexuais com a namorada como o principal fator disso.

Além do mais, se devemos amar a esposa (consequentemente, a namorada) como Cristo amou a igreja, devemos seguir o exemplo de Cristo, que morreu para que sua noiva seja "sem mácula, ruga ou qualquer outro defeito, mas santa e sem culpa" (Ef 5.27). Em vez de morrer para que a namorada seja livre de todo pecado sexual, muitos estão matando a espiritualidade da parceira a fim de satisfazer os próprios anseios libidinosos. Você está preparado para morrer pelo pecado da sua namorada, terminando o namoro pela santificação dela?

Claro que, dependendo do caso e do casal, um motivo pesará mais que outro; ainda assim, todos esses pontos acabarão ferroando-os de algum modo. Por isso, acredito que namorar cedo não é uma boa ideia. Esse é o mote conclusivo desses cinco pontos. Namorar cedo é complicado demais. É melhor esperar o tempo certo para começar o namoro. Nada aqui, obviamente, representa resoluções absolutas a todos os namoros, mas creio que se trata de sabedoria de Deus que deve ser ouvida com cuidado e coração aberto antes que qualquer relacionamento seja iniciado.

Então, quão jovem é jovem demais?

Se você não está namorando, esta é a hora para aplicar isso à sua vida. Não existe uma idade bíblica para o casamento. Na cultura judaica do Antigo Testamento, sabemos por outras fontes que mulheres se casavam entre 12 e 13 anos, enquanto os rapazes se casavam entre 15 e 16.[2] Devido a mudanças

---

[2] Daniel I. Block, "Marriage and Family in Ancient Israel", in: Ken M. Campbell (ed.), *Marriage and Family in the Biblical World* (Downers Grove, IL: InterVarsity Press, 2003), p. 57, n. 113.

sociais e nas relações de trabalho, a idade de casamento foi aumentando. Em geral, recomendamos que ninguém comece a namorar antes da maioridade por ser a maturidade legal na maioria dos países — dificilmente alguém se casa antes disso. Mas, ignorando o fator idade, podemos resumir o que conversamos aqui em três perguntas simples:

1) *Ainda vai demorar muito para você poder se casar?* Se sim, provavelmente você é muito novo. Lembre-se, porém, que isso é relativo. Depende muito da realidade de cada caso, mas as coisas tendem a demorar. Enquanto alguns podem tranquilamente se casar aos 20, outros só conseguem se estruturar perto dos 30. Ore, estude seus planos e veja se poderá se casar em pouco tempo (alguns anos, preferencialmente).

2) *Ainda precisa crescer muito em maturidade?* Refiro-me à maturidade na fé e como pessoa mesmo. O homem será o pastor de seu lar. Da mesma forma que não se chama qualquer pessoa para pastorear sua igreja, não se chama qualquer pessoa para pastorear sua vida. A mulher será instrumento para o auxílio idôneo do homem. Será que a pessoa por quem você se interessa está pronta para isso? Ambos sabem tomar boas escolhas na vida, gerir as próprias dificuldades, organizar a existência comum, liderar e ser liderados? Claro que nunca seremos perfeitos nisso, mas precisamos ser instrumentos nisso. Pergunte a amigos cristãos maduros a respeito de seu próprio caráter e testemunho. Aceite as orientações deles e cresça em Deus. Se você não cuida de si, como pensa que cuidará de outro?

3) *Existe muita incerteza quanto ao futuro?* Você não faz a menor ideia de como será a sua vida no futuro? É um caos completo? Não sabe se quer ser astronauta ou enfermeiro? Se quer morar no Brasil ou no Iraque? Se quer morrer

pregando para os canibais ou se quer ser tesoureiro da igreja? Então pare, ore, espere em Deus e, depois de ter alguma luz divina sobre esses temas, pense em namorar. O que acontece muitas vezes é que pessoas que querem a vida missionária namoram com quem deseja vida tranquila, e isso porque namoraram antes de estabelecer os próprios objetivos.

Quando comecei a namorar, eu não passava em nenhum dos itens desse teste. Sofri muito com os cinco pontos que apresentei. Lutei contra todo tipo de pecado sexual, lutei contra problemas emocionais e psicológicos, lutei contra questões ministeriais, acadêmicas e profissionais. Sei como isso é complicado, e vários amigos chegados dizem "amém" para essas poucas considerações sobre namoro, uma vez que já passaram por fatos idênticos. Espero que você não precise passar por tudo isso, e se passar (ou estiver passando), que Deus lhe dê toda a força para manter-se firme nele e viver seu namoro na graça do Pai. Medite bem se esse é o momento certo para um namoro. Há um momento certo para todas as coisas, para cada atividade debaixo do céu (Ec 3.1), e Deus enviará a pessoa certa no tempo dele (Pv 19.14).

O amor de Cristo é um amor inteligente

O que nós precisamos é de um *amor inteligente*, que nos permita amar de modo correto. Eu ouvi essa expressão pela primeira vez no já citado clássico do Joshua Harris, *Eu disse adeus ao namoro*:

> Esperar até que esteja pronto para um compromisso antes de correr atrás de romance é apenas um exemplo do amor inteligente em ação. Quando o nosso amor cresce em conhecimento

podemos com maior facilidade "discernir o que é o melhor" para a nossa vida.³

Precisamos aprender a amar de modo correto porque o amor nem sempre é bom e nem sempre é santo. Na nossa cultura, nada é errado se você estiver fazendo por amor. Que terrível mentira! Nosso amor pode ser falso. Muitas vezes, amamos o pecado e amamos de modo pecaminoso. "Eu te amo" não é tudo, porque o amor pode ser doentio, imaturo, egoísta e fraco. O amor não é o bastante. Não é suficiente se você acende o amor enquanto ele ainda não está pronto. Não é suficiente quando você tem o amor, mas não calcula o custo de assumir o que você sente.

O amor que chega cedo demais pode ser um amor ruim e pecaminoso, se não for vivido diante do evangelho. Precisamos amar como Cristo ama, um amor sacrificial, que serve de analogia para o amor do marido pela esposa. Precisamos amar na presença do amor de Deus. O amor imaturo de um casal jovem que não tem como sustentar aquele amor não reflete o amor de Deus. O amor de Deus visa nosso bem espiritual, nos edifica e nos sustenta. Se nosso amor juvenil for voltado para si, para os próprios prazeres e interesses, e se não tiver nada para dar ao outro além de sentimentos agradáveis e alguma entrega física, não é amor que reflete o evangelho. Se quiser amar como Cristo ama a igreja, você se prepara

> O amor que chega cedo demais pode ser um amor ruim e pecaminoso, se não for vivido diante do evangelho.

---

³ Harris, *Eu disse adeus ao namoro*, p. 21.

para tomar essa mulher como esposa, ou para entrar num relacionamento com seu marido. Você luta para apresentar um amor que gera benefício para o reino de Deus através de um lar firmado na Rocha. Qualquer coisa além disso é pura e simplesmente egoísmo.

5
Pare de desperdiçar sua solteirice namorando

O que todo jovem precisa saber sobre eunucos e celibatários

Um adolescente da igreja me procurou ao fim do culto, rodeado de colegas risonhos. Eu tinha falado sobre a criação do casamento e sobre Eva ter sido feita da costela de Adão. Sua dúvida era uma piada: "Pastor, se eu contar minhas costelas e tiver todas, significa que nunca vou me casar?". O grupo riu, como se fosse particularmente engraçado perguntar uma bobeira para o pastor da igreja depois do sermão. Eu respondi com alguma brincadeira, mas não deixei de falar sério ao fim: ainda que não seja contando costelas, Deus nos deu modos de sabermos se deveríamos ou não nos casar nesta vida.

Sim, a Bíblia fala sobre ser solteiro, seja temporária, seja definitivamente. E, com base no que dizem as Escrituras, é importante que solteiros, estejam namorando ou não, reavaliem os rumos que planejam seguir com sua vida.

Todos são celibatários, alguns pela vida toda

Não é de hoje que não participar das coisas próprias da vida de casado é visto como um demérito. Em nossa cultura, não ter intercursos sexuais torna a pessoa inferior. No filme *O virgem de 40 anos*, o personagem principal que dá nome à obra não é visto como um herói abnegado, mas como uma figura patética. Se você for virgem na vida adulta, poderá ser zombado pelos amigos ou até mesmo repreendida pela ginecologista. Há psicólogos que podem arrazoar sobre os problemas de não receber gratificações sexuais.

Quando olhamos para o Antigo Testamento, percebemos algo interessante. O tempo de solteirice até encontrar alguém para casar, tão comum em nossa cultura, era breve e até raro. Adão foi solteiro por um pouco de tempo, enquanto Eva foi criada e imediatamente estava casada. Os primeiros homens não conheceram a solteirice muito intimamente. Isso se refletiu na cultura judaica. A ordem de crescer e multiplicar fez com que o casamento no período do Antigo Testamento acontecesse logo no começo da puberdade. Como já falamos, mulheres se casavam entre 12 e 13 anos, enquanto rapazes se casavam entre 15 e 16. Essa tenra idade vem da responsabilidade dos pais de escolher um cônjuge para os filhos, o que não cobrava um grande juízo para que um jovem escolhesse alguém para se casar.

Por isso, estar solteiro era algo incomum e geralmente indesejável, mesmo para aqueles que hoje chamamos de adolescentes. Segundo o Talmude, uma coletânea de antigos ensinamentos judaicos, o homem que não se casou aos vinte anos está vivendo em pecado. Uma vez que se casavam cedo assim, não havia na vida dos judeus essa fase tão comum aos jovens de hoje: o longo período de solteirice até achar um marido ou esposa. Hoje, em nossa cultura, todo jovem acaba sendo obrigado a passar por um prolongado período de solteirice. Na Bíblia, porém, os solteiros eram principalmente as viúvas, os eunucos, os divorciados, as pessoas com chamados especiais, como no caso de Jeremias, as pessoas que não podiam se casar por serem incapacitados social ou fisicamente, como os leprosos — e então os rapazes e as moças que ainda não estavam casados, uma minoria nos tempos bíblicos, mas que hoje representam a maioria dos solteiros em nossa cultura.

É por isso que, quando a Bíblia quer falar mais apropriadamente de solteiros, em geral fala de pessoas que definitivamente não se casam — os eunucos e os celibatários. Eunucos eram pessoas com defeitos nas genitálias, fosse de nascença ou algo adquirido posteriormente, como prisioneiros de guerra ou servos nos haréns dos reis. Celibatários são pessoas que decidem não se casar (o termo vem do latim e significa "sem estar casado"), quase sempre associado a algum voto com Deus. No Novo Testamento, é Jesus e Paulo que tocam nesse assunto e desenvolvem uma teologia do estar solteiro.

Sendo os dois solteiros, Jesus e Paulo escrevem sobre eunucos e celibatários de uma perspectiva particularmente intrigante. Esses termos parecem descrever pessoas que *definitivamente* não contrairão matrimônio, mas o modo como Jesus fala de eunucos e o modo como Paulo fala de celibatários não parecem excluir aqueles que estão temporariamente solteiros — não por defeitos genitais ou por uma decisão para toda a vida, mas simplesmente porque ainda não chegaram ao tempo de casar. Digo isso porque Jesus desenvolve uma nova forma de ser eunuco, que seria se fazer eunuco pelo reino, e Paulo aplica o celibato até mesmo a mulheres que foram casadas por toda uma vida, mas que passam a ser celibatárias apenas depois da viuvez.

Isso me faz imaginar que pessoas ainda não casadas, que não pretendem passar toda a vida em virgindade, podem ser incluídas em parte das categorias normalmente aplicadas a eunucos e celibatários definitivos. Hoje, por causa das diferenças culturais e econômicas, todo jovem passa por um celibato temporário, mesmo sem ter talento para isso. Muitos se tornam eunucos contra a própria vontade, ainda que deixem de sê-lo ao se casar. Para entender o que isso significa mais precisamente, precisamos olhar para os textos do Novo Testamento sobre solteirice, nas palavras de Cristo e de Paulo.

Jesus e os eunucos do reino

A fala de Jesus é mais breve que a de Paulo, mas diz muito a respeito da solteirice. O contexto é o ensino contra o divórcio, segundo o qual, a menos que seja em caso de adultério, o homem deveria viver até o resto de sua vida com sua mulher. Os discípulos ficam transtornados e então dizem que prefeririam viver solteiros a ter esse nível de compromisso com alguém. A resposta de Jesus é que eles poderiam tomar essa decisão, mas que esta se restringia a quem tivesse forças para viver de tal modo:

> Os discípulos de Jesus disseram: "Se essa é a condição do homem em relação à sua mulher, é melhor não casar!".
> "Nem todos têm como aceitar esse ensino", disse Jesus. "Só aqueles que recebem a ajuda de Deus. Alguns nascem eunucos, alguns foram feitos eunucos por outros e alguns a si mesmos se fazem eunucos por causa do reino dos céus. Quem puder, que aceite isso."
>
> Mateus 19.10-12

Os discípulos julgam que é melhor não casar caso tenham de ficar casados até o fim da vida com a mesma mulher. A visão cristã sobre o casamento sempre foi um escândalo para o mundo.

Jesus leva a observação dos discípulos a sério. Primeiro, ele diz que não casar não é para todos. A maioria de nós geralmente se casa, e a decisão de ficar solteiro não é algo que um crente pode tomar friamente, com base apenas em suas preferências. De acordo com Jesus, ainda que você deseje ficar solteiro, talvez não possa fazê-lo. Então, quem poderá escolher ficar solteiro?

Em segundo lugar, ele diz que não casar é apenas para quem isso é dado. Ou seja, ser solteiro é algo que o próprio Deus dá a alguém de modo especial. É algo recebido ativamente das mãos do Senhor. Aqui, já podemos dizer que não casar é um dom — essa é a linguagem que usamos para aquilo que recebemos de modo especial de Deus para o serviço cristão. Costumamos pensar na solteirice como uma maldição, mas não é. Também é um tipo de bênção divina.

Nesse segundo ponto, Jesus explica a quem esse dom é entregue. Ele menciona três tipos de pessoas: os que nasceram eunucos, impedidos de contrair matrimônio e ter intimidade física; os que se tornaram incapazes de casar porque outros os fizeram eunucos, provavelmente mutilados em guerras ou castrados para o serviço na corte real; e os que "se fazem eunucos" por causa do reino. O eunuco, em geral, era um homem que não tinha o órgão sexual ou que sofria de algum mal funcionamento incapacitante nesse órgão. Alguns eram mutilados em guerra ou mesmo castrados depois de serem cativos. Muitos viviam como cuidadores dos haréns dos reis.

Os dois primeiros tipos de eunucos já eram conhecidos no judaísmo, e eram tipos socialmente desprezados. No entanto, o terceiro tipo é inédito. Chama a atenção aqui os "eunucos pelo reino". Numa primeira leitura, parece haver pessoas que se mutilaram para entrar no reino dos céus, mas não há registros de alguém que tenha se castrado em nome do reino de Deus, seja no Antigo, seja no Novo Testamento. Esse tipo de ritual não consta da vida da igreja em nenhum momento próximo dos apóstolos. Do que Jesus estava falando, então? Parece que Cristo usa o sentido de eunuco de modo mais metafórico, o que não seria incomum no mundo grego daquela época. Em seu livro *Redeeming Singleness* [Redimindo a solteirice], o autor Barry Danylak explica:

> Mesmo considerando que Jesus usa o eunuco para ilustrar alguém que renuncia ao casamento por causa do reino de Deus, por que ele escolheria uma figura tão desagradável para mostrar seu ponto de vista? Uma razão está relacionada ao uso mais amplo da palavra grega *eunouchos*, que, fora do Novo Testamento, era usada não apenas para homens e animais castrados, mas também para frutas e plantas desprovidas de semente. [...]
>
> O termo designava essencialmente algo desprovido de semente reprodutiva. "Eunuquizar-se" era, portanto, negar a si mesmo o direito de reprodução da prole física. Portanto, ao usar o termo eunuco, Jesus quis dizer mais do que alguém simplesmente não se casar, mas sim alguém que abre mão do direito de casamento e procriação. Isso é especialmente significativo à luz da importância da descendência em todo o Antigo Testamento e sua associação com a bênção da aliança. Jesus está sugerindo que há *alguns* que desistirão voluntariamente das bênçãos do casamento e da descendência por causa do reino de Deus. [...]
>
> Assim, apesar de suas associações desagradáveis, Jesus pode ter escolhido a expressão "se fazem eunucos" porque expressa mais plenamente o compromisso que está sendo feito. A eunuquização envolve mais do que simplesmente não se casar;

envolve o sacrifício do direito ao casamento, à procriação e às relações sexuais, por causa do reino de Deus.[1]

Ou seja, o mais provável é que, ainda que "eunuco" estivesse relacionado sobretudo a quem não tem os órgãos genitais, aqui Jesus está usando o termo de modo metafórico. Ele não falava de quem se feria fisicamente, mas de quem vive sem prole e sem cônjuge, sem uso de seus órgãos sexuais.

Jesus diz que esses eram eunucos por causa do reino de Deus. Ou seja, quem vive em celibato em nome do serviço a Cristo se tornou eunuco pelo reino. Veja só que interessante. Eunucos normalmente serviam nas cortes reais. Nisso, os celibatários são como eunucos do reino de Jesus. Escolhem viver sem intimidade física para o benefício do reino. Jesus diz com clareza que alguns de nós receberam o dom de viver como se não possuíssem órgãos sexuais. Fisicamente, são capazes de intimidade física, mas por causa do reino, decidem viver sem fazer uso de suas partes sexuais.

> Não parece chocante para nosso tempo que um grupo de pessoas aceitasse passar a vida sem prazer sexual em troca do prazer de servir a Jesus por onde quer que ele fosse?

Um grupo que é descrito dessa forma são os 144 mil do livro do Apocalipse. Polêmicas à parte sobre quem eles são, sabemos que são homens que não tiveram vida sexual a fim de ter a liberdade de servir a Cristo de forma que não seria possível caso estivessem cuidando de uma família: "Eles se conservaram

---

[1] Barry Danylak, *Redeeming Singleness: How the Storyline of Scripture Affirms the Single Life* (Wheaton, IL: Crossway, 2010), e-book Kindle.

puros, sem manter relações com mulheres, e seguem o Cordeiro por onde quer que ele vá" (Ap 14.4). Por não se casarem, podiam seguir ao Senhor aonde quer que ele ordenasse.

Não parece chocante para nosso tempo que um grupo de pessoas aceitasse passar a vida sem prazer sexual em troca do prazer de servir a Jesus por onde quer que ele fosse? Por causa do reino, permaneceram virgens. Numa cultura hipersexualizada como a nossa, parece uma decisão absurda. Enquanto à nossa volta tudo parece girar em torno de sexo e a vida se resume a acumular o máximo de experiência sexual possível, há pessoas que, em favor do reino, vivem sem intimidade física.

Claro, não é uma questão de simples vontade. É uma questão de ter recebido de Deus a capacidade para tanto. É o terceiro ponto de Cristo em seu discurso: quem estiver apto para estar sozinho, deveria aceitar isso. Os discípulos não queriam se casar por motivos bastante egoístas. Aparentemente, permanência até que a morte os separasse era pesado demais. Para Jesus, ficar solteiro era para quem nasceu doente, para quem foi feito eunuco pela vontade alheia ou para quem decidiu renunciar à sexualidade em nome do reino. "Você pode aceitar isso?", pergunta Jesus. Se puder, então aceite. Consegue viver sem se casar? Então você deveria viver sem se casar e usar seu tempo livre para ser atuante no reino de Deus.

Se você acredita que pode viver de modo santo sem intimidade sexual, talvez deva considerar viver sem casamento. Talvez Deus o tenha separado para o reino, para um serviço como o dos 144 mil, seguindo ao Cordeiro por onde quer que ele vá. Nisso há uma intimidade com Cristo muito maior que qualquer prazer sexual, uma vida entregue total e absolutamente a Cristo, pregando o evangelho, servindo aos necessitados, cuidando de quem precisa, discipulando novos convertidos e levando o reino adiante.

Esse foi o caso do próprio Jesus. Ele nunca se casou, nunca teve família própria ou intimidade sexual. Nós adoramos um Deus solteiro. Foi John Piper quem disse que a "maior, mais sábia e mais completa pessoa humana que já viveu nunca se casou — Jesus Cristo".[2] Nós somos ensinados em nossas igrejas a sobreviver até o casamento, e não a ter uma vida plena durante a solteirice. Ed Shaw lamenta não sermos ensinados a "prosperar na condição de homem solteiro ou mulher solteira até o dia de sua morte".[3] Uma vez que projetamos no matrimônio o local onde a vida verdadeiramente começa, vivemos tão somente aguentando firme até chegar lá. Essa não é a vida que Deus reservou para nós, uma vida de fé mixuruca, à espera de que as coisas engrenem. Adiamos sermos úteis porque ignoramos que a solteirice é uma bênção também. Jesus era pleno e perfeito, e era solteiro.

Acreditamos que o casamento é o fluxo natural de nossa existência, e que o único obstáculo é achar alguém que nos queira. Mas e se Deus separou você para viver exclusivamente para o reino, permanecendo solteiro? Veja, o objetivo da solteirice aqui é o reino, não obter uma nova formação acadêmica, ganhar mais dinheiro ou surfar com os amigos todo fim de semana. Trata-se de usar o tempo de solteiro para poder se dedicar cada vez mais ao serviço de Cristo. Novamente, escreve Barry Danylak:

---

[2] John Piper, prefácio de Danylak, *Redeeming Singleness*.
[3] Ed Shaw, *A atração por pessoas do mesmo sexo e a igreja: A plausibilidade do celibato* (São Paulo: Vida Nova, 2018), p. 122.

Um eunuco para o reino o é voluntariamente para servir ao Rei e ao reino. Eunucos voluntários são aqueles que reconhecem que a missão que receberam de Deus, seja ela qual for (e todo cristão tem uma), pode ser melhor cumprida permanecendo solteiros, seja por um período selecionado, seja por toda a vida.[4]

Você que é solteiro talvez esteja pensando que essa mensagem não o inclui. Você não acha que será um celibatário. Você olha para dentro e sabe que precisa casar. Uma vida inteira sem intimidade física seria um tormento para a maioria de nós. E, mesmo assim, você se encontra vivendo uma solteirice obrigatória devido a nosso tipo de cultura. Caso fosse um judeu nos tempos bíblicos, você estaria casado na adolescência e nada disso seria motivo de preocupação. Como brasileiro no século 21, no entanto, você pode ser um homem solteiro de quarenta, uma mulher abandonada ou viúva de trinta ou um jovem em um longo namoro que ainda não conseguiu recursos para casar. Talvez não tenha o dom, mas foi feito eunuco pelas circunstâncias, obrigado a ser um celibatário, mesmo que temporariamente. O que você faz, então? Se você acaba tomando parte por um tempo da vida do celibato, então deveria assumir as bênçãos e as oportunidades que são próprias a essa condição. É hora de olhar com mais atenção para viver uma solteirice para o reino.

Aqui, desta vez, eu preciso discordar de Barry Danylak em seu *Redeeming Singleness*. Ao analisar essa passagem, ele argumenta que o dom de ser solteiro não é simplesmente a

---

[4] Danylak, *Redeeming Singleness*.

situação ou a condição de não casado. Segundo ele, a menos que você se case "no dia seguinte à puberdade, inevitavelmente viverá parte de sua vida como uma pessoa solteira", e por isso alguns "podem ter de passar a vida inteira como pessoas solteiras, sem o dom da solteirice — sem nunca encontrar um companheiro adequado".[5] O que o autor desconsidera é que todos nos tornamos em parte "celibatários" contra nossa vontade, "eunucos" contra a nossa vontade, até que consigamos nos casar, uma vez que somos impedidos culturalmente de casar ainda no começo da puberdade, como era comum nos tempos bíblicos.

Não basta, de modo algum, levar a vida de solteiro tão somente tentando não se masturbar ou transar com a namorada, como se isso fosse uma solteirice frutífera. Se os eunucos do reino são pessoas que vivem sem casamento para poder seguir Jesus por onde quer que ele vá, então você deveria usar sua solteirice para seguir a Cristo com um número menor de amarras. Se você não tem família para sustentar, não tem esposa para proteger, não tem marido para cuidar, não tem prole para ensinar, então sua vida deveria significar mais do que três saídas para o futebol por semana e maratonas de seriados na Netflix. Um crente solteiro precisa viver sua vida dedicado a mais do que juntar cada dia mais dinheiro ou se envolver com mais entretenimentos para ocupar o tempo livre. O solteiro precisa de uma vida dedicada ao reino, aproveitando sua condição para se entregar a serviços que só serão possíveis nessa fase da vida.

Quando eu era um jovem solteiro, podia fazer coisas completamente irresponsáveis para a glória de Deus. Eu

[5] Ibid.

cursava ciências contábeis na Universidade Federal do Ceará. Ter passado na faculdade foi um evento na minha família, a ponto de meu pai imprimir a lista dos aprovados, sublinhar meu nome e entregar para os amigos do trabalho. Depois de um ano e meio, cheguei para meus pais e disse que iria largar a faculdade para fazer seminário porque queria ser pastor. Aquele não foi um bom dia. Depois de um ano no seminário, fui até meu chefe dizendo que deixaria o trabalho para servir como missionário leigo entre secundaristas e universitários. Como eu não teria sustento, tornei-me desempregado em tempo integral que usava o tempo livre para evangelizar nas escolas. A Missão GAP (Grupo de Adoração ao Pai) precisava de gente para ajudar e não tinha um real para pagar missionário. Então, fui ser um missionário sem dinheiro.

Veja, por que eu pude fazer isso aos vinte e poucos anos? Porque eu não tinha esposa ou filho. Por isso podia brincar de ser maluco. Se tudo desse errado, eu tinha meu pai e minha mãe para brigar comigo e me sustentar. Eu não tinha uma esposa para ir comigo debaixo da ponte ou um filho que ficaria sem escola ou sem comida. Quando você se casa, já não pode tomar as mesmas decisões, às vezes um tanto irresponsáveis. Você pode evangelizar por muito tempo sendo jovem. Pode ir a lugares um tanto perigosos com pouco menos de medo. Pode fazer viagens para lugares mais difíceis a fim de apoiar missionários. Essas coisas são mais complicadas quando há uma esposa e um filho em casa.

Quando me sentei com a Isa para conversar sobre o projeto de dormir ao lado de homens em situação de rua por um ano a fim de escrever meu livro *A máfia dos mendigos*, eu disse a ela que só teria coragem de uma pesquisa como aquela caso ainda não tivéssemos filhos. Eu acreditava que seria muito perigoso, e se algo desse errado minha esposa ficaria só, mas não deixaria nenhuma criança órfã no mundo. À medida que a vida vai progredindo, não nos damos mais certas liberdades. Eu já dormi ao lado de mendigos, mas hoje tenho medo de colocar o lixo para fora depois da meia-noite. Se você é um jovem solteiro, consegue fazer coisas malucas a baixo custo. Consegue fazer coisas que um adulto casado não pode fazer. Consegue largar a faculdade e ir para o seminário. Consegue largar o emprego e se enveredar na obra missionária desprovido de qualquer segurança. Um pai de família não pode fazer isso. Você consegue embarcar numa viagem missionária e só voltar um mês depois. Um pai de família não consegue agir de modo tão desprendido.

Se você é solteiro não porque se sente chamado por Deus ao celibato, mas porque ainda não conseguiu se casar, aproveite esse celibato temporário como uma bênção de Deus para o serviço do reino. Seja um celibatário, mesmo que temporariamente, usando sua solteirice para a glória de Jesus. Pare de desperdiçar seu tempo de solteiro ansioso pelo primeiro beijo, por uma paixão arrebatadora ou um romance de novela. Viva sua vida de solteiro ansioso pela glória de Deus: missões, evangelismo e discipulado. Aproveite esse tempo porque, se Deus quiser, ele não volta.

É verdade que todo pastor é meio casamenteiro. Não podemos nos esquecer, porém, de também motivar os solteiros a aproveitar bem a solteirice, usando essa fase da vida como uma oportunidade que Deus deu de seguir Jesus por onde quer que ele vá, a fim de levar o evangelho ao maior número de pessoas possível.

Paulo e o dom do celibato

A exemplo de Jesus, o apóstolo Paulo também fala sobre o dom de ficar solteiro — e é muito mais explícito em marcar o celibato como dádiva de Deus. Em 1Coríntios 7, ele escreve longamente sobre casamento e intimidade sexual, mas também sobre solteirice e celibato.

Paulo está respondendo a uma carta que recebeu da igreja de Corinto. Aparentemente, os coríntios tinham algumas dúvidas relacionadas a intimidade física e pureza. Não sabemos exatamente o que eles perguntaram para Paulo, mas temos as respostas do apóstolo. É como se ouvíssemos alguém falar ao telefone com outra pessoa: não sabemos o que está sendo dito do outro lado da linha, mas pelas respostas da pessoa à nossa frente é possível deduzir algo. Então, logo nos primeiros versículos de 1Coríntios 7, Paulo diz: "Quanto ao que vocês me escreveram — 'é bom que o homem não toque em mulher' —, digo que, por causa da imoralidade, cada homem tenha a sua esposa, e cada mulher tenha o seu próprio marido" (1Co 7.1-2, NAA).

Algumas traduções entendem que é Paulo quem diz "é bom que o homem não toque em mulher", mas não é o caso. Paulo está citando algo que os coríntios tinham dito. Eram eles que diziam que "é bom que o homem não toque em mulher". Ao que tudo indica, havia uma situação muito esquisita na igreja em que alguns eram altamente licenciosos — incluindo o caso de um homem que dormia com a esposa de seu pai (1Co 5) —, enquanto outros diziam que era bom que o homem nunca tocasse em mulher.

Paulo argumenta sobre isso. Ele diz que, "por causa da imoralidade", cada homem deve ter sua própria esposa e cada mulher seu próprio marido. O casamento tem um propósito importante. O casamento visa diminuir a imoralidade. Se você tem impulsos sexuais, esses impulsos devem ser satisfeitos de alguma forma, e o local para satisfazê-los é no casamento, não na imoralidade. Paulo está dizendo que é errada a ideia dos coríntios de que era bom que o homem não fosse casado ou que a mulher não fosse casada.[6]

Então, nos próximos versículos, o apóstolo trata da intimidade física dentro do casamento e, ao chegar ao verso 7, volta a abordar a ideia de não casar. Ele diz: "Gostaria que todos fossem como eu, mas cada um tem seu próprio dom, concedido por Deus: um tem este tipo de dom, o outro, aquele". Aqui, Paulo deixa claro que até preferiria que todos pudessem ser solteiros como ele, mas que se tratava de uma questão de diferenças de dons. Ele fala do casamento e da solteirice como dois dons. Veja que tocante: casar é um dom de Deus, mas não casar também é. Uma situação não é mais abençoada por Deus do que a outra, ainda que uma delas seja mais confortável.

Existem dois dons dados por Deus: o de casar e o de não casar. Isso é um ótimo consolo para os solteiros. Se você não casa, está vivendo uma situação que é um dom de Deus. Ele está lhe dando a situação de não casar. Se você permanece puro estando solteiro, está participando mesmo que temporariamente desse dom. Outros se casam, e casamento não é uma maldição. Mesmo nos dias difíceis, o casamento é um dom de Deus. São dons diferentes, mas igualmente importantes.

---

[6] Uma grande dificuldade aqui é o caso de cristãos que não possuem atração pelo sexo oposto, mas sim pelo mesmo sexo. Ainda há desejo sexual, mas uma ausência de desejo correto. Nesse cenário, há alguém que precisará assumir o dom do celibato, mesmo possuindo impulsos físicos.

Os que são celibatários contra a própria vontade podem tentar viver parte desse dom até encontrar alguém.

O dom do celibato tem um sentido objetivo, não subjetivo. Não é que o dom concede uma habilidade sobrenatural de permanecer solteiro, mas é simplesmente a descrição de um estado de vida. Você é solteiro? Você está vivendo o dom de ser solteiro, mesmo quando não foi chamado para viver assim de modo voluntário e definitivo. Ou seja, o dom do celibato se manifesta na vida de todos os solteiros mesmo quando eles não são chamados para ser celibatários em definitivo. Estes são apenas os que receberam também a capacidade de viver sem abrasamento sexual. Em outras palavras, todos os solteiros são celibatários. Mais que isso: todos os solteiros estão vivendo o dom do celibato. A diferença é que alguns desses solteiros irão se casar e então viver outro dom, o do casamento, ao passo que outros, por conseguirem viver sem a manifestação constante e intensa de impulsos sexuais, poderão viver o celibato como uma condição definitiva.[7]

[7] Al Hsu escreve em *The Single Issue* (Downers Grove, IL: InterVarsity Press, 1997) que o "dom" do celibato é apenas uma descrição comum da vida de solteiro. Seu argumento é inteligente, mas ignora que existe um aspecto particular daqueles que receberam um dom definitivo de permanecer solteiro: conseguir viver longe da imoralidade (tentação externa) sem se abrasar (tentação interna). Ao argumentar que Paulo em nenhum momento traça uma distinção entre casados, solteiros com o dom e solteiros sem o dom, Hsu ignora que os solteiros estão vivendo parcialmente a vida do dom, mesmo que temporariamente. Meu ponto, acredito, permanece válido: todo solteiro está vivendo o dom do celibato. Eu apenas adicionaria que, entre os solteiros, alguns são chamados para viver esse dom em definitivo, ao perceberem que podem viver longe de impulsos sexuais difíceis de controlar.

Então, nos versículos seguintes, Paulo escreve: "Portanto, digo aos solteiros e às viúvas: é melhor que permaneçam como eu. Mas, se não conseguirem se controlar, devem se casar. É melhor se casar que arder em desejo" (1Co 7.8-9). O apóstolo se dirige àqueles que nunca foram casados, ou que foram casados e não são mais, dizendo que seria bom se conseguissem permanecer solteiros como ele também era solteiro. No entanto, se não conseguissem dominar os desejos sexuais, melhor seria que se casassem. Ter o dom do celibato não significa não sofrer tentações sexuais. Significa, isto sim, uma possibilidade de viver sem a manifestação sempre presente desse impulso. Um celibatário nem sempre será uma pessoa assexuada, mas uma pessoa cujos impulsos sexuais são mais facilmente controlados.

> Paulo está dizendo que não é errado casar por causa do sexo. Claro, é errado casar *apenas* por causa do sexo, mas o sexo também faz parte das motivações para entrar em um casamento.

Nisso tudo, Paulo está dizendo que não é errado casar por causa do sexo. Claro, é errado casar *apenas* por causa do sexo, mas o sexo também faz parte das motivações para entrar em um casamento. É muito mesquinho receber uma esposa ou um marido apenas em busca de satisfazer impulsos físicos, mas essa é uma necessidade real em um matrimônio biblicamente saudável. Uma das perguntas que sempre faço nos cursos de noivos que ministro na igreja é: "Por que você quer casar?". Nunca ninguém me respondeu: "Porque eu tenho impulsos sexuais". Os jovens têm vergonha desse tipo de sinceridade, mas é uma resposta plenamente honesta e totalmente bíblica. De fato, é uma resposta que nos ajuda a averiguar se a pessoa deveria ou não estar se casando. É perigoso quando pessoas que não possuem impulsos sexuais se casam. É um risco que alguém que Deus chamou para segui-lo por toda parte, alguém que deveria ser integralmente do reino, acabe sendo subtraído de uma vida de serviço intenso. Além disso, o outro cônjuge acaba recebendo alguém que será relapso em seus compromissos sexuais. Infelizmente, a verdade é que alguns casados não deveriam ter casado. Deus os chamou para outras coisas, e eles abandonaram o caminho que Deus lhes havia preparado, desobedecendo à vontade divina e seguindo um rumo menos frutífero para a vida. Se o sexo não é uma questão que atrapalha sua solteirice santa, se não é uma luta que você enfrenta, então talvez você devesse cogitar permanecer solteiro.

Você talvez esteja pensando: "Acho que minha mulher deveria ter sido celibatária", ou "Acho que meu marido casou errado, ele nunca dá conta de sexo". Bem, depois de casado, você não tem mais o direito de querer ser um eunuco para o reino. Porém, enquanto é solteiro, talvez Deus esteja lhe dando alguns indicativos de que ele não quer você pensando em matrimônio, mas sim pensando em serviço para o reino. Se você acha que deveria ter sido um celibatário, o caminho não é terminar seu casamento e se inscrever numa escola missionária. Se Deus lhe deu o casamento, então viva no dom que recebeu e procure ser fiel em tudo o que lhe é cobrado de agora em diante.

Pulando alguns versículos (voltaremos para eles em breve), encontramos uma das passagens paulinas mais discutidas na teologia, 1Coríntios 7.24-26:

Cada um de vocês, irmãos, deve permanecer como estava quando Deus os chamou. Quanto à pergunta sobre as moças que ainda não se casaram, não tenho para elas um mandamento do Senhor. Em sua misericórdia, porém, o Senhor me deu sabedoria confiável, e eu a compartilharei com vocês. Tendo em vista as dificuldades de nosso tempo, creio que é melhor que permaneçam como estão.

Paulo está criando uma teologia do conformismo. Você deve permanecer na condição em que Deus o chamou, sem se importar tanto assim com mudar de vida. Deve viver olhando para algo superior, o reino. Então, ele aplica isso ao celibato. As moças ("virgens" em outras traduções, jovens prometidas em casamento que ainda não contraíram matrimônio), devem permanecer solteiras caso consigam viver sem ceder ao impulso sexual, como foi dito antes. E isso por causa das "dificuldades de nosso tempo". Que situação é essa que justifica o celibato?

Há uma questão técnica de tradução nessa passagem que será impossível aprofundar neste material. A tradução da NVT, "dificuldades de nosso tempo", é bem interpretativa, assim como a das outras versões: "instante necessidade" (RC), "angustiosa situação presente" (RA), "problemas atuais" (NVI). Alguns teólogos acreditam que Paulo esteja falando da perseguição que os cristãos sofriam. Outros dizem tratar-se de uma grande fome que prejudicou os crentes coríntios daquela época. Há quem interprete vendo algo escatológico aqui: Paulo estaria preocupado com o fim dos tempos, e por isso era melhor viver em solteirice.

No grego, Paulo diz: "por causa da presente *anankēn*", que deveria ser mais bem traduzido por "presente restrição" ou "presente obrigação". Segundo o principal léxico de grego que temos hoje, Paulo estaria falando de uma "necessidade ou restrição como inerente à natureza das coisas, necessidade, pressão de qualquer tipo" (BDAG). O Low-Nida, outro léxico de referência, diz que podemos traduzir o termo como "aquilo que causa problemas", "aquilo que é difícil de suportar" ou "o que traz muito sofrimento às pessoas", ou então como "por causa da presente obrigação", tradução possível também em 1Coríntios 9.16 e Filemon 1.14.[8]

Ora, que presente restrição ou obrigação é esta a que Paulo se refere? Penso que se trata justamente do que ele escreveu nos versículos anteriores, sobre como o cristianismo motiva certo tipo de conformismo com as situações da vida presente, uma vez que, olhando para o reino vindouro, as dores desta vida perdem seu impacto:

> Cada um continue a viver na situação em que o Senhor o colocou, e cada um permaneça como estava quando Deus o chamou. Essa é minha regra para todas as igrejas. Se um homem foi circuncidado antes de crer, não deve tentar mudar sua condição. E, se um homem não foi circuncidado antes de crer, não o deve ser agora. Pois não faz diferença se ele foi circuncidado ou não. O importante é que obedeça aos mandamentos de Deus.

---

[8] D. A. Carson, no artigo "As If Not", da revista acadêmica *Themelios* (vol. 38, ed. 1, 2013, p. 1-3), explica que as comuns interpretações segundo as quais Paulo está se referindo a situações difíceis (sejam perseguições ou períodos de fome) ou a anseios escatológicos não parecem ser os melhores caminhos neste texto. Sua argumentação, que pressuponho neste capítulo, pode ser lida em: <https://www.thegospelcoalition.org/themelios/article/as-if-not/>. Acesso em: 12 de fevereiro de 2022.

Sim, cada um deve permanecer como estava quando Deus o chamou. Você foi chamado sendo escravo? Não deixe que isso o preocupe, mas, se tiver a oportunidade de ficar livre, aproveite-a. E, se você era escravo quando o Senhor o chamou, agora é livre no Senhor. E, se você era livre quando o Senhor o chamou, agora é escravo de Cristo. Vocês foram comprados por alto preço, portanto não se deixem escravizar pelo mundo. Cada um de vocês, irmãos, deve permanecer como estava quando Deus os chamou.

1Coríntios 7.17-24

Ou seja, uma vez que fomos chamados para viver sem tanta preocupação com este mundo, na condição em que fomos chamados, olhando mais para eternidade que para o tempo presente, então nossas escolhas sobre matrimônio precisam representar esse desapego à vida. Devemos estar mais apegados ao reino que às coisas desta vida, incluindo o desejo de contrair matrimônio ou encontrar satisfação sexual.

Há uma piada que jovens solteiros adoram fazer, mas que representa algo comum de nosso coração: "Tomara que eu case antes de Jesus voltar". Apesar de não ser prudente fazer teologia em cima de piada, creio que essas brincadeiras podem mostrar que estamos olhando para esta vida mais do que para a próxima. Se em nosso coração há algum fundo de verdade nessa piada, é porque não estamos vivendo o casamento como quem olha para a eternidade. É porque não estamos vivendo matrimônio e relacionamento como quem se importa com o reino de Deus e realmente entende que o tempo presente não é nada. Se sou patrão ou empregado, pouco importa; se circunciso ou incircuncidado, pouco importa; se sou solteiro ou casado, pouco importa; o que importa é que há uma glória muito superior a esta vida, portanto me disponho a viver um modo de vida que nem considera as realidades presentes. Paulo desenvolve isso ainda mais nos próximos versos:

> Se você já tem esposa, não procure se separar. Se não tem esposa, não procure se casar. Se, contudo, vier a se casar, não é pecado. E, se uma moça se casar, também não é pecado. No entanto, aqueles que se casarem em tempos como os atuais terão de enfrentar dificuldades, e minha intenção é poupá-los disso.
>
> Irmãos, isto é o que quero dizer: o tempo que resta é muito curto. Portanto, de agora em diante, aqueles que têm esposa devem agir como se não fossem casados. Aqueles que choram, que se alegram ou que compram coisas não devem se entregar totalmente à tristeza, à alegria ou aos bens. Aqueles que usam as coisas deste mundo não devem se apegar a elas, pois este mundo, como o conhecemos, logo passará.
>
> 1Coríntios 7.27-31

Esse é um dos textos mais fortes de Paulo. Ele diz que, porque este tempo é breve comparado com a glória que nos é dada à frente, deveríamos viver desapegados da existência. Deveríamos viver voltados para o reino. Temos bens? Não importa. Vivamos focados nas coisas do reino. Estamos casados? Pouco importa. Vivamos como se não estivéssemos. As alegrias e as bênçãos deste mundo não deveriam tirar nosso foco do reino. Claro que estar casado traz muitas obrigações que afetam nosso nível de envolvimento na igreja e na obra missionária. Porém, deveríamos estar dispostos a sacrificar parte do bem-estar do casamento pelo serviço do reino.

Você acha mesmo que os presbíteros de sua igreja consideram a coisa mais conveniente do mundo ficar na igreja até a madrugada tendo esposa e filhos em casa para cuidar? Na nossa igreja, presbíteros não remunerados às vezes vêm direto do trabalho com fome, e só têm tempo de pegar uma manga na árvore da igreja. É um sacrifício de conforto e tempo com a esposa e os filhos. Quando o pessoal do louvor ensaia, quando os voluntários fazem uma viagem missionária, quando o pessoal da limpeza chega cedo para deixar as salinhas das crianças arrumadas, são atividades que tomam o tempo da família.

Em geral, vivemos para dar a melhor vida possível para nossa família, mas quando vivemos para o reino, às vezes vivemos como se não pudéssemos fazer isso. Enquanto tantos de nós ficam procurando vaga de emprego na Europa e nos Estados Unidos, outros estão procurando vagas missionárias em países muito mais pobres que o Brasil. É um sacrifício para o reino quando missionários levam seus filhos para países miseráveis, mais carentes que o nosso, a fim de poder levar a mensagem do evangelho.

O cristão casado precisa sacrificar parte do conforto da família. Toda vez que você oferta dinheiro que poderia ser usado na sua casa no intuito de sustentar missionários; toda vez que, em vez de aproveitar o domingo à noite, vocês estão na igreja cultuando; toda vez que, em vez de ir para um parquinho, você traz seu filho para a escola dominical — toda vez é alguma forma de se sacrificar em nome do que está na eternidade. É viver olhando para a eternidade. Por causa do tempo que se abrevia, não vivemos para aproveitar o melhor que o casamento pode nos dar. Vivemos para glorificar o nome de Deus, sacrificando o que for possível e saudável até mesmo do bem-estar da nossa família em prol do reino. Claro que muitos levaram isso longe demais. Há relatos de missionários que largaram a esposa doente para pregar o evangelho e de missionárias que abandonaram os filhos. Há relatos escabrosos ao longo da história da igreja, e muitas vezes podemos negligenciar nossas responsabilidades emocionais, afetivas, psicológicas, financeiras e relacionais em tal nível que desonra a Deus. Não estou falando de sacrifício a esse ponto, que põe em risco a própria manutenção da família. Porém, existem níveis necessários e saudáveis de sacrifício do conforto e bem-estar até mesmo no que diz respeito ao casamento.[9]

Paulo diz que você deveria tentar continuar como está, mas se você não consegue, em um sentido sexual, então deveria se casar. Nesse caso, porém, haverá angústias próprias ao casamento. É essa a palavra que ele usa: angústia. O tempo está cada vez mais curto, este mundo se abrevia, então deveríamos viver como se não fôssemos desse mundo — logo, casados que vivem diante do fim não vivem como os casados deste mundo. Vivem com senso de urgência. Existem desafios e responsabilidades que o casamento nos traz, e eles tiram de nós parte da possibilidade de viver diante dessa urgência.

D. A. Carson, respeitado teólogo do Novo Testamento, entende por estes versos que "mesmo quando paciente e amorosamente construímos casamentos sólidos de acordo com a revelação de Deus do que o casamento deveria ser", todo o tecido de nossa existência atual está sob o domínio de Deus *como se não estivéssemos envolvidos nisso*. Para o teólogo, não devemos estar inteiramente absortos nem mesmo em

---

[9] Para uma teologia do sacrifício familiar pelo reino, leia "Abandonando a família por Jesus: os desafios de uma nova casa de fé", in: Yago Martins, Pedro Pamplona e Guilherme Nunes, *Você é o ponto fraco de Deus e outras mentiras da teologia do Coaching* (Fortaleza: 371, 2021), p. 125-137.

coisas boas que o próprio Deus classifica como dons graciosos. Até mesmo esses dons, como o dom do casamento, "estão ligados a uma ordem que está passando. Se aprendermos bem esta lição, compreenderemos melhor o que significa acumular tesouros no céu".[10]

Jesus disse que onde está nosso tesouro, aí está nosso coração (Mt 6.21). Se nosso tesouro estiver no casamento, também manteremos nosso coração nesta vida. Nossa família é certamente o que mais valorizamos nesta terra, mas ainda é *desta terra*. Nosso tesouro de fato está nos céus. Por isso, amamos a Deus acima de nossa família: "Quem ama seu pai ou sua mãe mais que a mim não é digno de mim; e quem ama seu filho ou sua filha mais que a mim não é digno de mim", disse Jesus (Mt 10.37). Amamos nossa família mais do que tudo nesta vida, e isso muitas vezes faz com que nossa família entre em competição com o reino. Por isso, Paulo diz que quem não tem família pode viver mais intensamente em serviço.

No versículo seguinte, Paulo diz: "Quero que estejam livres das preocupações desta vida" (1Co 7.32a). O casamento não é um conto de fadas. Ele nos dá problemas para resolver. Eu pastoreio homens preocupados em como prover o sustento financeiro para a família. Mulheres preocupadas com a saúde sexual do casamento. Pais preocupados com a criação dos filhos. Questões relacionais surgem, descompassos aparecem, há brigas, discussões e obrigações. O casamento adiciona preocupação à vida. E essas preocupações não permitem ao casado atuar no reino da mesma forma que um solteiro poderia fazer. Paulo diz isso com mais clareza em seguida:

---

[10] Carson, "As If Not".

O homem que não é casado tem mais tempo para se dedicar à obra do Senhor e pensar em como agradá-lo. Mas o homem casado precisa pensar em suas responsabilidades neste mundo e em como agradar sua esposa. Seus interesses estão divididos. Da mesma forma, a mulher que não é casada ou que nunca se casou pode se dedicar ao Senhor e ser santa de corpo e espírito. Mas a mulher casada precisa pensar em suas responsabilidades aqui na terra e em como agradar seu marido. Digo isso para seu bem, e não para lhes impor restrições. Quero que façam aquilo que os ajudará a servir melhor ao Senhor, com o mínimo possível de distrações.

1Coríntios 7.32b-35

Enquanto alguns desses irmãos coríntios queriam estar casados sem tocar em mulher, não tendo qualquer tipo de intimidade física, Paulo diz que o único local certo para isso é na solteirice. Uma vez casados, eles tinham compromissos físicos uns com os outros. Solteiros, porém, poderiam cuidar das coisas do Senhor com mais dedicação. De igual modo, uma vez que você se casa, deve viver também para o serviço de sua família. Na solteirice, porém, você pode encontrar uma forma especial de serviço a Deus.

Quando Deus deixa você solteiro, ele está lhe dando mais tempo para o reino dele. Até mesmo em solteirices delongadas contra a própria vontade, ele está proporcionando oportunidades de serviço. Não é que ele se esqueceu de você. É que ele lhe deu uma bênção. Você pode ser mais útil para o reino com menos distrações. A pergunta é: você está usando isso para o reino ou só

> Quando Deus deixa você solteiro, ele está lhe dando mais tempo para o reino dele.
> [...] Não é que ele se esqueceu de você. É que ele lhe deu uma bênção.

para alimentar suas angústias? Não é mais tempo para o *surf*, para o futebol com os amigos, para a faculdade, para a hora extra no trabalho. É tempo para o reino. É claro que você pode se programar para o futuro e ter seus *hobbies*, mas o reino precisa estar em primeiro lugar. Muitos, em contrapartida, pensam: "Eu quero me casar para ser livre", e não entendem que, quando se casam, ficam mais presos. Foi Camões quem disse que amar é querer estar preso por vontade. Você encontra novas obrigações e voluntariamente recebe novos compromissos. Por mais abençoador que o casamento seja, ele também entra em competição pelo seu tempo em serviço do reino. É normal que solteiros trabalhem mais. Solteiros devem ajudar mais, se engajar mais, servir mais ao reino.

Assim como Paulo, deveríamos estar encorajando o celibato, e não só tentando arrumar marido e esposa para todo mundo. Vários colegas de agências missionárias me dizem que ainda hoje a maior força missionária no mundo é de mulheres solteiras, porque podem se dedicar à obra missionária de forma que mulheres casadas não conseguem fazer. Ed Shaw registra:

> Muitos dos mais importantes e inspiradores avanços na evangelização mundial foram feitos por cristãos solteiros (ou cristãos casados que, de modo errado, se comportavam como se fossem solteiros, como William Carey). O ministério de David Brainerd com os nativos dos Estados Unidos vem a ser um famoso exemplo; o trabalho de Gladys Ayward na China, outro. Eles só alcançaram o que realizaram por Jesus porque eram solteiros e podiam se dedicar totalmente ao ministério.[11]

---

[11] Ed Shaw, *A atração por pessoas do mesmo sexo e a igreja: A plausibilidade do celibato* (São Paulo: Vida Nova, 2018), p. 125-126.

O casamento pode ser uma distração para o serviço missionário. Deus pode estar querendo usar você sem distrações para o serviço do reino. Paulo continua:

> Se, contudo, um homem acredita que está tratando sua noiva de forma inapropriada e que seus impulsos vão além de suas forças, que se case com ela, como é desejo dele. Não é pecado. Mas, se tiver assumido um compromisso firme, e não houver urgência, e ele for capaz de controlar sua paixão, faz bem em não se casar. Portanto, quem se casa com sua noiva faz bem, e quem não se casa faz melhor ainda.
>
> 1Coríntios 7.36-38

Aqui há uma questão teológica complicada. Em lugar de "noiva", como faz a NVT, outras traduções usam o termo "virgem". Quem é essa virgem? Uns acreditam que seria a filha virgem. Assim, Paulo estaria instruindo sobre entregar ou não a filha em casamento. Outros acreditam que seria uma virgem que foi prometida em casamento, como era comum na época. A maioria dos teólogos parece seguir essa posição, assim como eu. Dessa forma, o texto falaria de uma jovem que está prometida em casamento para alguém. Paulo está dizendo: "Você está prometida em casamento e acha que pode não se casar? Você não peca se não casar. Se Deus lhe deu esse dom, case-se. Mas, se você pode não se casar para o reino, é um sacrifício maior para a glória de Deus". É muito instrutivo o modo como Eugene Peterson parafraseia os versos 36-38 na Bíblia *A Mensagem*:

> Se um homem tem uma amiga a quem é leal, mas não tem intenção de se casar, decidido a servir a Deus como solteiro, e depois muda de ideia e decide casar-se com ela, ele deve ir

em frente e se casar. Não é pecado. O casamento não está "um degrau abaixo" do celibato, como alguns dizem. Mas, se o homem está bem em sua decisão pela vida de solteiro dedicada a Deus e for essa sua convicção, não algo que lhe foi imposto, ele deve permanecer assim. O casamento é espiritual e moralmente correto e não é, de modo algum, inferior ao celibato, embora, como já disse, por causa dos tempos em que vivemos, tenho razões pastorais para encorajar o celibato.

Assim, podemos aplicar esse texto à sociedade presente. Alguns de vocês namoram e deveriam pensar se Deus não os está chamando para acabar esse namoro — não porque você perdeu o afeto, mas talvez porque você deva entender que sua vida poderia ser usada de outra forma. Claro que isso perpassa o entendimento de que Deus o chamou para isso, mas alguns noivos e namorados deveriam avaliar se são realmente chamados ao matrimônio.

Paulo, então, encerra seu discurso sobre esse assunto:

> A esposa está ligada ao marido enquanto ele viver. Se o marido morrer, ela está livre para se casar com quem quiser, desde que seja um irmão no Senhor. Em minha opinião, porém, seria melhor que ela não se casasse novamente, e creio que, ao dizer isso, lhes dou o conselho do Espírito de Deus.
>
> 1Coríntios 7.39-40

A viúva será mais feliz se permanecer solteira após perder o marido, caso ela consiga viver assim. Se a viúva ainda é jovem e ainda possui impulsos sexuais, ela poderá se casar novamente. Caso lhe falte provisão financeira, casar novamente também poderia ser uma necessidade, como Paulo diz em 1Timóteo 5. Aqui, no caso, se ela consegue permanecer solteira, deveria fazê-lo, pois seria mais feliz. Por que mais feliz? Por que não terá um marido novo para encher a paciência? Não parece ser esse o ponto de Paulo. O que o apóstolo está dizendo é que ela será mais livre para servir ao reino. Em idade mais avançada, os impulsos sexuais provavelmente não eram mais tão intensos e, por isso, ela poderia assumir o celibato a partir daquela fase da vida.

Esse trecho me faz pensar que Paulo trata o celibato não simplesmente como um dom para a vida toda, um pacto do começo ao fim de nunca se casar, mas algo que pode ser estabelecido por um período específico da vida. Aqui, a viúva — que não era celibatária, uma vez que era casada — torna-se celibatária apenas ao fim da vida. Assim também, penso que jovens ainda não casados poderiam ser tratados como celibatários temporariamente. O celibato, desse modo, também seria um dom temporário, do qual a pessoa participa quando não se casa nos primeiros anos do desenvolvimento sexual.

Conclusão

Você que é solteiro talvez termine esta leitura sentindo um leve desespero. Você quer uma família, uma casa, um lar para chamar de seu. Você pode conseguir domar seus desejos sexuais, mas pode ter outros desejos: o carinho, o companheirismo, o relacionamento. Existem outras bênçãos atreladas ao casamento das quais você gostaria de participar, não apenas da intimidade física. Em Isaías 56.3-5, o profeta aborda questão semelhante ao falar sobre os eunucos:

> E não permitam que o eunuco diga:
> "Sou uma árvore seca, sem filhos e sem futuro".

Pois assim diz o SENHOR:
Eu abençoarei os eunucos que guardarem meus sábados
 e fizerem o que me agrada e se apegarem à minha aliança.
Eu lhes darei, dentro dos muros de minha casa,
 um memorial e um nome muito maior que filhos e filhas.
Pois o nome que lhes darei é permanente;
 nunca desaparecerá!

Aqueles que vivem no Senhor e não se casam, talvez não consigam propagar o nome de uma família ou ter uma prole física, mas quando vivem fiéis e no serviço a Deus, ele lhes dá um memorial. Deus lhes dá honra, uma glória superior a filhos e filhas. Deus lhes dá um nome eterno que nunca se apaga. É isso que nós vemos em Apocalipse 14, quando Deus traz os 144 mil em posição de honra diante dele. Essa é a consumação da "glória que pesa mais que todas as angústias e durará para sempre", e que recebemos em Cristo por todo sacrifício que fazemos por ele nesta vida (2Co 4.17). Então, enquanto você estiver se guardando para Deus e para o serviço de seu reino, não esmoreça. À medida que você permanece fiel, Deus guarda a sua porção, muito maior que uma família, muito melhor que filhos e filhas. Permaneça firme e fiel.

Mas veja só: você pode ter muitos filhos, ainda que não tenha se casado. Se você entregar sua vida ao reino, poderá ter muitos filhos e filhas espirituais. Paulo olhava para aqueles que ele converteu como filhos:

> Não escrevo estas coisas para envergonhá-los, mas para adverti-los como meus filhos amados. Pois, ainda que tivessem dez mil mestres em Cristo, vocês não têm muitos pais, pois eu me tornei seu pai espiritual em Cristo Jesus por meio das

boas-novas que lhes anunciei. Portanto, suplico-lhes que sejam meus imitadores.

1Coríntios 4.14-15

Você pode ter uma grande família no evangelho. Ao entregar sua vida de fato a Deus, você pode encontrar na igreja algo muito superior ao lar humano. Quando Maria e seus outros filhos tentam encontrar Jesus, ele lhes diz que sua verdadeira família é a família da fé (Mt 12.46-50; Lc 8.19-21). Quem casa nesta vida está num casamento temporário. Quando morrermos, não seremos mais maridos e esposas uns dos outros nos céus. Nosso casamento é passageiro, como disse o Mestre: "Pois, quando os mortos ressuscitarem, não se casarão nem se darão em casamento. Nesse sentido, serão como os anjos do céu" (Mt 22.30). Os laços espirituais durarão para sempre nos céus. Seremos uma família para sempre. O casamento pode ser temporário, mas existem laços muito maiores, que são os que temos em Deus.

Nossa alegria é saber que quem está solteiro deste lado da eternidade encontrará um casamento eterno do outro lado: o casamento com Cristo nas bodas do Cordeiro. Jesus mesmo se descreve como o noivo (Mc 2.19-20). Paulo diz que somos como uma virgem pura prometida a um só noivo, que é Cristo (2Co 11.2). A Bíblia começa com o casamento de Adão e Eva e termina com o casamento de Cristo e sua igreja. João escreve em sua visão das últimas coisas:

> Alegremo-nos, exultemos
>   e a ele demos glória,
> pois chegou a hora do casamento do Cordeiro,
>   e sua noiva já se preparou.

Ela recebeu um vestido do linho mais fino,
  puro e branco".

Porque o linho fino representa os atos justos do povo santo.
Apocalipse 19.7-9

Esses somos nós, casados e solteiros. Podemos ter certeza de que nos casaremos um dia, mais cedo ou mais tarde. Você vai se casar, e o seu marido para sempre será Cristo. Isso é muito melhor que qualquer casamento humano, por mais feliz que seja. Sam Allberry diz: "Se o casamento nos mostra a forma do evangelho, a solteirice nos mostra sua suficiência".[12] O católico-romano Christopher West diz o mesmo: "O celibato pelo reino não é uma declaração de que o sexo é 'ruim'. É uma declaração de que, embora o sexo possa ser fantástico, há algo ainda melhor, infinitamente melhor!". E ele continua: "O celibato cristão é uma arrojada declaração de que o céu é real e de que vale a pena vender todas as coisas para possuí-lo".[13] Isso nos mostra a esperança que há de se manifestar de forma plena e perfeita em Jesus. Ed Shaw, um celibatário, escreveu:

> Sei que muitos hoje em dia acreditam ser uma grande tragédia morrer virgem. Eu, porém, espero ter esse fim. Porque sei que não terei perdido nada assaz importante. Porque a Bíblia me

---

[12] Sam Allberry, "How Celibacy Can Fulfill Your Sexuality", The Gospel Coalition, 26 de agosto de 2016, <https://www.thegospelcoalition.org/article/how-celibacy-can-fulfill-your-sexuality/>. Acesso em: 9 de março de 2022.

[13] Christopher West, *Fill These Hearts: God, Sex, and the Universal Longing* (Nova York: Image, 2012), p. 172.

ensina que eu terei perdido apenas a breve antecipação que o sexo deveria ser da realidade eterna da união perfeita entre Cristo e sua igreja, a qual um dia passarei a experimentar para todo o sempre (Ap 21.1-5). Então, qualquer prazer fugaz de que tiver aberto mão nesse meio-tempo terá mais que valido a pena.[14]

Mais preocupados do que ter um casamento nesta terra, deveríamos estar preocupados em encontrar Cristo e viver com ele para sempre. "O casamento e a solteirice serão transcendidos", disse John Piper, "e o próprio Cristo tornará essas categorias obsoletas na alegria de sua presença. Uma vida de alegre solteirice testemunha isso."[15] A ausência de sexo não é ausência de uma vida plena. O homem mais pleno que viveu foi Jesus, e ele viveu sem sexo. Nós adoramos um virgem como Deus.

Se o romance for seu grande objetivo de vida, você viverá em desespero. Mas, se encontrar na glória de Deus a grande razão da existência — seja casado ou solteiro —, encontrará uma vida que fará Deus ser glorificado de verdade. Pense nisso sobre sua vida. Namorados precisam olhar para o próprio coração. Solteiros precisam averiguar o que estão fazendo com o próprio tempo. Casados precisam motivar aqueles em volta, lembrando que há um reino acima desta vida. Que possamos vencer o fogo no parquinho de desfrutar nossas solteirices como o mundo aprecia e começar a viver como quem entende que o fim se aproxima.

---

[14] Shaw, *A atração por pessoas do mesmo sexo e a igreja*, p. 128-129.
[15] John Piper, prefácio de Danylak, *Redeeming Singleness*.

6
Não misture a família da fé

Uma teologia bíblica do casamento com descrentes

Um amigo missionário na Europa me disse que, por causa do liberalismo teológico e da sequidão espiritual que inunda aquelas terras, muitas igrejas passam por um cenário intrigante: seus pastores perdem a fé, mas não abandonam o ministério. Esses ministros precisam pagar suas contas, e não têm outra fonte de renda ou outras formações. Ou seja, pastores ateus continuam pastoreando suas igrejas. Dessa forma, algumas igrejas, quando vão pedir pastores às suas convenções, precisam deixar claro que querem que o pastor seja crente. Ao que parece, infelizmente há igrejas que não conseguem pastores comprometidos com a fé e acabam por aceitar pastores descrentes por algum tempo, como forma de continuar tendo pregações no domingo, mesmo que o sujeito não acredite muito no que diz.

Quando ouvi isso pela primeira vez, fiquei escandalizado. Como o líder de uma igreja pode ser alguém que não compartilha da fé em Cristo? No entanto, rapidamente percebi que esse fenômeno também acontece no Brasil, mas de modo um pouco diferente. Você se sujeita a isso quando permite que um homem sem fé seja pastor de sua casa através do casamento, ou quando permite que uma mulher sem fé seja auxiliadora de sua espiritualidade através do matrimônio. É o que acontece quando nos casamos com alguém desprovido da fé cristã.

Jugo desigual

O texto mais usado para falar sobre casar ou não com pessoas de outra fé vem mais uma vez da pena de Paulo, em sua segunda epístola à igreja de Corinto:

> Não se ponham em jugo desigual com os descrentes. Como pode a justiça ser parceira da maldade? Como pode a luz conviver com as trevas? Que harmonia pode haver entre Cristo e o diabo? Como alguém que crê pode se ligar a quem não crê? E que união pode haver entre o templo de Deus e os ídolos? Pois somos o templo do Deus vivo. Como ele próprio disse:
>
> "Habitarei e andarei
> no meio deles.
> Serei o seu Deus,
> e eles serão o meu povo".
>
> 2Coríntios 6.14-16

Trata-se de texto famoso, mas ainda assim há alguma incompreensão quanto à expressão "jugo desigual". Jugo é uma canga de bois, uma barra de madeira que une dois bois a uma única carga. Usava-se para que a força dos dois animais puxasse um só peso. Uma junta de bois em jugo desigual significava que a carga estava presa a dois bois diferentes, um mais forte e um mais fraco, ou um mais velho e um mais novo. Isso faria com que os bois andassem em ritmos diferentes. Assim, a carga não se moveria em linha reta, prejudicando o arado da terra. Ou seja, se você unir dois bois desiguais, a tarefa para a qual foram designados não se cumprirá da forma devida.

O texto fala dessa união com dois bois distintos como uma metáfora para a união entre o crente e o descrente. Porém, esse texto não está falando propriamente de casamento, de relações amorosas ou mesmo de contratos comerciais, como muitas vezes é interpretado. O apóstolo está falando de aceitar pessoas vivendo em pecado deliberado na igreja. Logo em seguida, no capítulo 7, Paulo fala de nos purificarmos da impureza, fugindo de tudo aquilo que corrompe nossa carne ou nosso espírito. Nos versos 9-13, ele fala delongadamente sobre excluir da comunidade os que vivem em pecado para que não nos relacionemos com eles. Exegeticamente, portanto, o texto não fala sobre unir-se em namoro, ou casamento, a uma pessoa que tenha uma fé diferente da nossa. Fala de permitir que pessoas entregues ao pecado vivam normal e tranquilamente na igreja. Por isso há o processo de disciplina eclesiástica.

O termo jugo desigual tem sido usado como um definidor dessa relação entre homens e mulheres. O termo foi tirado do sentido da teologia paulina para ser aplicado a outros sentidos mais amplos, como qualquer relacionamento indevido na comunidade de fé, principalmente relacionamentos amorosos. Esse, como dissemos, não é o sentido correto. O tema aqui é receber na igreja pessoas com pecado não arrependido e se associar a seus comportamentos ímpios. Aceitamos pecadores e pessoas lutando contra as mais profundas falhas, mas não aceitamos quem vive fora de Cristo. A igreja não aceita aqueles que vivem fora do arrependimento de seus pecados. Aqueles que vivem em seus pecados não deveriam estar em sociedade na igreja.

Não acredito que faça mal, nesse caso, usarmos a ilustração de Paulo e aplicá-la a outras situações. Mas precisamos estar cientes de que esse não é o significado do termo na teologia paulina. Não estou dizendo que pode haver casamento entre crentes e descrentes. O que estou dizendo é que 2Coríntios 6.14-16 não é o texto para tratar disso. Para essa questão em específico, dispomos de praticamente toda a teologia de casamento do Antigo e do Novo Testamento. Todavia, mesmo que Paulo não use o termo jugo desigual para falar disso, podemos usar em *lato sensu* para aquilo que acontece quando crente e descrente entram em matrimônio.

A Bíblia fala algo muito sério sobre pessoas que escolhem deliberadamente viver no caminho do pecado. Se é pecado casar com descrente, então a pessoa que o faz está escolhendo o caminho do maligno. E permitir o descrente como parte da igreja é jugo desigual. Nós estaremos em jugo desigual porque faremos vista grossa para o pecado, permitindo que pessoas que vivem longe da fé ingressem na comunidade da fé. O real sentido teológico de jugo desigual é aceitar na igreja quem escolhe viver contra Deus. Se uma pessoa da igreja começa a namorar um descrente, algum irmão deve conversar com ela e tentar convencê-la a abandonar esse pecado. Se o irmão ou a irmã se arrepende, glória a Deus. Se a pessoa persiste, aplicamos Mateus 18. Chamamos testemunhas para tentar em conjunto convencê-la do pecado. Se não dá certo, levamos à igreja. Se persistir no erro, trataremos o indivíduo como gentio e publicano, isto é, como um descrente. Essa pessoa não será excluída da comunidade porque namorou um descrente, mas porque escolheu deliberadamente permanecer no pecado, sem arrependimento. O único pecado que exclui alguém da igreja é a falta de arrependimento. E, como pretendo provar a seguir, casar-se ou namorar com um descrente é um pecado que a pessoa precisa abandonar para poder continuar fazendo parte da igreja de Jesus.

Já no começo de tudo

Começando do começo. Olhemos para a criação do casamento em Gênesis 1.26-28.

> Então Deus disse: "Façamos o ser humano à nossa imagem; ele será semelhante a nós. Dominará sobre os peixes do mar, sobre as aves do céu, sobre os animais domésticos, sobre todos os animais selvagens da terra e sobre os animais que rastejam pelo chão".
>
> Assim, Deus criou os seres humanos à sua própria imagem,
> à imagem de Deus os criou;
> homem e mulher os criou.
>
> Então Deus os abençoou e disse: "Sejam férteis e multipliquem-se. Encham e governem a terra. Dominem sobre os peixes do mar, sobre as aves do céu e sobre todos os animais que rastejam pelo chão".

No texto acima, vemos que Deus cria homem e mulher segundo a sua imagem. Eles foram criados para refletir quem Deus é para o mundo. Então, Deus os comissiona para exercer autoridade e domínio sobre a criação. Ou seja, o casamento foi criado como um exercício de domínio e autoridade divina numa sujeição do mundo a Deus. Isso significa que o casamento tem uma primeira missão profundamente espiritual. O casamento não tem como primeira missão a felicidade do casal, o prazer sexual mútuo ou qualquer outra coisa semelhante. A missão primária do casamento é a sujeição da terra ao Deus vivo. Casamentos existem para fazer com que outras pessoas se sujeitem a Deus. Casamentos existem para fazer com que a sociedade e tudo o que foi criado estejam sob o domínio de

Deus. A pergunta é: um casamento entre um crente e um descrente ajudará nesse processo? Um descrente assumirá para si essa função e responsabilidade? Certamente que não.

Ou seja, casar com um descrente é fugir da missão primária que o casamento representa. Nisso, quanto mais próximo um casal está de Deus, melhor pode exercer esse chamado divino. Um casamento em que um dos membros não é da família da fé é um casamento que terá mais dificuldades de representar o interesse de Deus para o casamento. Um casamento só é vivido em sua totalidade e completude quando duas pessoas estão dedicadamente entregues a Deus para o serviço no mundo do reino de Deus.

> Casamentos existem para fazer com que a sociedade e tudo o que foi criado estejam sob o domínio de Deus.
>
> A pergunta é: um casamento entre um crente e um descrente ajudará nesse processo?

Isso continua em Gênesis 2.15-18:

> O S‍enhor Deus colocou o homem no jardim do Éden para cultivá-lo e tomar conta dele, mas o S‍enhor Deus lhe ordenou: "Coma à vontade dos frutos de todas as árvores do jardim, exceto da árvore do conhecimento do bem e do mal. Se você comer desse fruto, com certeza morrerá".
>
> O S‍enhor Deus disse: "Não é bom que o homem esteja sozinho. Farei alguém que o ajude e o complete".

Deus diz que Adão foi colocado ali para gerir o jardim e cuidar dele, e depois diz que ele não deveria comer do fruto proibido; então, diz que não era bom que ele estivesse só, portanto lhe faria uma auxiliadora idônea, alguém que o ajudasse e o completasse.

O relato mostra duas coisas: primeiro, não era bom que Adão gerisse e cuidasse do jardim sozinho. O casamento é um instrumento de Deus para que haja, em parceria, um cultivo do mundo debaixo do governo de Deus. Quando Deus forma o casamento, ele o faz criando um ambiente em que ambos devem se ajudar à sujeição do Senhor. Como isso acontece se um dos dois não quer gerir o mundo em sujeição ao Senhor?

Em segundo lugar, e esse é um ponto central aqui, é que Adão não deveria comer do fruto do conhecimento do bem e do mal. Logo depois de dizer que Adão não deveria comer do fruto, Deus cria Eva para que ela fosse um auxílio a Adão de modo que ele não comesse do fruto. Ou seja, o casamento deve ser um instrumento para que as pessoas se ajudem contra o pecado. No casamento, um cônjuge ajuda o outro para que ambos fujam de comer dos frutos proibidos à sua volta. O casamento deve ser um ambiente de santificação mútua. Como o seu casamento será esse ambiente se o seu cônjuge não ama o Senhor? Como o seu casamento será um ambiente no qual você é treinado contra o pecado se a pessoa com quem você se casou não segue os mesmos padrões de condenação do pecado? O casamento deve ser um ambiente no qual ambos se apontam para longe do erro e se fortalecem no caminho da santificação. Como viver aquilo que Deus planejou para sua vida se você escolheu viver com uma pessoa que não compartilha dos mesmos valores?

No namoro, para conquistar o outro, muitas vezes a pessoa até demonstra respeito pela fé e pela igreja do pretendente. O famoso autor de *O peregrino*, John Bunyan, em sua outra alegoria chamada *The life and death of Mr. Badman* (publicada em português como *Jornada para o inferno*, que mais parece título de filme de ação), conta a história de um homem que viveu e morreu em pecado. Um desses pecados foi deliberadamente enganar uma moça cristã, com quem queria se casar por causa de seu dinheiro. No livro, o Senhor Mau é aconselhado por um amigo, também pecador:

> Visto que ela é religiosa, você deve fingir que também é, e deve continuar fingindo por algum tempo antes de abordá-la. Preste atenção aonde ela vai cada dia ouvir sermões, e vá lá também. Mas veja lá como vai se conduzir, e aja sobriamente. Finja que gosta muito de ouvir a Palavra de Deus. Fique onde ela possa vê-lo, e quando você voltar para casa, cuide de caminhar sério e sereno. Procure manter-se dentro do campo de visão dela. Depois de fazer essas coisas por algum tempo, vá ter com ela e, primeiro, diga quão triste você se sente por seus pecados. Mostre grande amor pela religião dela, falando bem dos seus pregadores e das suas amigas piedosas, lamentando o seu infortúnio por não a ter conhecido nem ter conhecido seus irmãos na fé mais cedo. É assim que você vai conquistá-la.
>
> Também trate de escrever sermões e de falar sobre as Escrituras, e afirme solenemente que só veio cortejá-la porque ela é uma piedosa cristã. Diga-lhe que você consideraria a sua maior felicidade se pudesse desposá-la. Quanto a seu dinheiro, ignore-o; esse é o melhor jeito de adquiri-lo mais depressa, pois no início ela suspeitaria que você a deseja só por seu dinheiro. Você sabe o que ela tem, mas não diga uma palavra sobre isso. Faça como digo e verá se não laçará depressa a moça.[1]

No livro, a moça cai nesse satânico engano. Ela se deixou levar pelas aparências e teve a vida desgraçada. Casou-se com

---

[1] John Bunyan, *Jornada para o inferno* (São Paulo: Publicações Evangélicas Selecionadas, 2010), p. 118.

um descrente que fez de sua vida um sofrimento. Se você faz concessões no seu namoro para um descrente, seu destino pode ser igual ou pior do que esse. O pecado é terrível, e traz destruição.

Por causa do pecado as coisas não aconteceram como eram para acontecer — é aí que entramos em Gênesis 3. Quando o pecado entra no mundo, vemos a corrupção do casamento. O pecado fez que o casamento se tornasse outra coisa. Fez que se tornasse um ambiente de conflito. Veja o que Deus diz à mulher por causa do pecado: "Aumentarei em muito os seus sofrimentos na gravidez; com dor você dará à luz filhos. O seu desejo será contra o seu marido, e ele a governará" (Gn 3.16, NAA).[2] Além disso, o pecado também trouxe vergonha. Eles viviam nus e, antes do pecado, não se constrangiam. Porém, quando pecaram, passaram a se ver com vergonha (Gn 3.7).

Houve um afastamento mútuo, e o ato de um se cobrir diante do outro. O pecado separa casais. O pecado constrange casamentos. O pecado destrói relacionamentos conjugais. O pecado faz com que os desejos sejam disruptivos. Em vez de o casal viver em harmonia dominando a sociedade e a criação, obedecendo a Deus e se auxiliando mutuamente contra o pecado, agora vive com vergonha, separados um do outro, motivando-se ao pecado. É quando nos aproximamos do Senhor como casal que vivemos casamentos felizes. Como você terá isso na sua vida se escolhe deliberadamente se casar com uma pessoa sem fé? Se é o pecado que destrói sua vida, como você pode escolher se casar com alguém que ainda não se arrependeu de seus pecados? Se é o pecado que

---

[2] A maioria das traduções traz "para seu marido", mas "contra" é o consenso exegético atual sobre a melhor tradução.

gera vergonha, como pode escolher se casar com alguém que continua com o preço do pecado sobre a cabeça? Isso é loucura! É corromper o significado do casamento.

Os primeiros homens

O livro de Gênesis prossegue apresentando essa mesma ideia. Depois do relato do primeiro homicídio, quando Caim mata Abel, temos a descrição da genealogia de Caim (Gn 4.17-24). Depois, a genealogia de Sete, a descendência santa (Gn 4.25-26). Gênesis 5 começa dizendo: "Este é o livro da genealogia de Adão" (5.1, RA). No último verso de Gênesis 5, Noé é citado. Gênesis 6 começa falando sobre filhos de Deus e filhas do homem entrando em acordo matrimonial. Assim, sigo a interpretação que entende que "filhos de Deus" se refere à descendência de Sete e "filhas dos homens", à descendência de Caim.[3]

Assim diz Gênesis 6.1-2: "Os seres humanos começaram a se multiplicar na terra e tiveram filhas. Os filhos de Deus perceberam que as filhas dos homens eram belas, tomaram para si as que os agradaram e se casaram com elas". A linguagem remete a Gênesis 3, quando Eva vê que o fruto lhe é agradável aos olhos e ao paladar, e então toma e come. Aqui, os filhos de Deus (a descendência santa de Sete) acham as filhas dos homens (a descendência pecaminosa de Caim) muito bonitas e as tomam como esposas. Eles, homens crentes, são atraídos pela beleza das mulheres descrentes e se casam.

---

[3] Defendo esta posição e apresento outras em "Anjos coabitaram com mulheres em gênesis 6?", Dois Dedos de Teologia, 16 de abril de 2020, <https://youtu.be/VmaV8ll5Z0g>. Acesso em: 26 de maio de 2022.

O texto continua dizendo:

> Então o Senhor disse: "Meu Espírito não tolerará os humanos por muito tempo, pois são apenas carne mortal. Seus dias serão limitados a 120 anos". [...] O Senhor observou quanto havia aumentado a perversidade dos seres humanos na terra e viu que todos os seus pensamentos e seus propósitos eram sempre inteiramente maus.
>
> Gênesis 6.3,5

Deus trata como maldade e pecado o fato de uma geração de homens que amava a Deus se casar com uma geração de mulheres que odiava o Senhor. O dilúvio decorre justamente disso. A maldade surgiu na terra porque homens poderosos surgiram dessa relação, pessoas de prestígio e renome. Isso multiplicou o mal no mundo. Então, Deus traz o dilúvio para destruir uma geração de homens e mulheres corruptos. Ou seja, escolher casar-se com um descrente é escolher participar daquilo que fez com que Deus destruísse o mundo com um dilúvio. Escolher criar uma família mista é escolher participar da maldade que corrompeu o mundo a ponto de Deus dar cabo de tudo através das muitas águas.

Os patriarcas

Avançando no livro de Gênesis, vemos que Abraão, já idoso, envia um de seus servos de volta para sua parentela, a fim de obter para Isaque uma esposa que não fosse uma cananeia descrente (Gn 24.1-4). Ele faz seu servo jurar que não buscaria para o filho uma esposa descrente dentre os cananeus. É assim que Isaque encontra Rebeca como esposa. Isso era algo muito importante para Abraão.

Depois que Isaque se casa com Rebeca, a preocupação com casamentos mistos se mantém na família. Em dado momento, Rebeca reclama com o marido: "Estou cansada dessas mulheres hititas que vivem aqui! Prefiro morrer a ver Jacó se casar com uma delas!" (Gn 27.46). Ela lamenta sobre sua própria vida diante da possibilidade de seu filho se casar com uma mulher fora da família da fé. "Então Isaque mandou chamar Jacó, o abençoou e disse: 'Não se case com uma mulher cananita. Em vez disso, vá de imediato a Padã-Arã, à casa de seu avô Betuel, e case-se com uma das filhas de seu tio Labão'" (Gn 28.1-2).

Em Gênesis 28.9, lemos que Esaú, ao ver que o pai não aprovava um casamento com alguém fora da família da fé, "foi visitar a família de seu tio Ismael e, além das duas mulheres canaanitas com as quais havia se casado, tomou para si uma das filhas de Ismael". Trata-se de uma desobediência deliberada.

Por sua vez, na família do patriarca seguinte, Jacó, a preocupação permanece, como relata Gênesis 34. Quando Hamor convida Diná, a filha de Jacó, a se casar com seu filho Siquém, que estava profundamente apaixonado por ela, Jacó e seus filhos respondem que não a dariam em casamento a menos que toda a casa de Siquém e de Hamor fosse circuncidada, porque ela não se casaria com alguém fora da família de fé. Siquém replica que lhes daria o que pedissem para que seu filho pudesse se casar com ela. Os filhos de Jacó dizem que seria uma vergonha dar a filha para um homem incircuncidado, ou seja, sem a marca da aliança da fé. Pedem uma única condição: que todos os homens da casa sejam circuncidados. "Mas, se não concordarem em ser circuncidados, tomaremos nossa irmã e iremos embora" (Gn 34.17). Temos aqui três gerações de patriarcas que não aceitam entregar seus filhos a pessoas que não sejam da família da fé.

A lei de Moisés

Séculos depois, quando os israelitas estão prestes a entrar na terra de Canaã, Deus assim diz a seu povo:

> Não se unam a elas [as nações ao redor] por meio de casamentos. Não deem suas filhas em casamento aos filhos delas, nem tomem as filhas delas como esposas para seus filhos, pois farão seus filhos se afastarem de mim para adorar outros deuses. Então a ira do SENHOR arderá contra vocês e os destruirá rapidamente.
>
> Deuteronômio 7.3-4

A responsabilidade recaía sobre os pais, porque eram eles que arranjavam os casamentos. Deus traria ira e destruição contra aqueles que se casassem com pessoas de fora da família da fé. O motivo é que, ao fazer isso, eles se corromperiam. Casamento não é instrumento de missões. Eu estudei bastante sobre missiologia no seminário, e certamente é o tema com o maior número de obras na minha estante. Nenhum dos livros que li dá base para casamento ser instrumento missionário. Instrumento missionário é a pregação do evangelho. Não somos nós que faremos o descrente se tornar crente. É ele que fará com que nos corrompamos aos ídolos. E o resultado é ira e condenação.

Ainda que o oposto seja muito mais comum, você pode até conhecer algum caso ou outro de uma pessoa que se casou com um descrente e "deu certo". O problema é que casar com alguém que é descrente, sendo você crente, já é errado por si só. Ainda que Deus faça a pessoa se tornar crente em algum momento, o simples fato de ter casado com alguém que não era da família da fé constitui um pecado contra Deus. Ou seja, pode até existir casamento missionário, mas o missionário é do diabo. O mais provável é que seja você desevangelizado para outra crença. Será você aquele que abandonará a fé depois de tanto ouvir discursos, ver comportamentos e ser moldado por uma vida distante de Deus.

Repito: não é porque deu certo na vida de um ou de outro que dará certo na sua vida. De fato, se você escolhe deliberadamente casar com um descrente, é porque sua fé já está fraca. Então, como você acha que terá força para trazer o outro para a fé? Você é quem precisa de um discipulado! Se está disposto a sacrificar seu relacionamento com Deus para ter uma pessoa por perto, como acha que poderá trazer essa pessoa para um relacionamento com Deus?

A história do povo judeu

O mesmo princípio segue para além de Moisés, com os israelitas já estabelecidos após a conquista da terra prometida. Em Josué 23.11-13, lemos:

> Portanto, dediquem-se com empenho a amar o SENHOR, seu Deus. Mas, se vocês se desviarem dele e se apegarem aos costumes dos sobreviventes das nações que ainda restam no meio de vocês, e se casarem com eles, e eles com vocês, saibam, com certeza, que o SENHOR, seu Deus, não expulsará essas nações de diante de vocês. Ao contrário, elas serão isca e armadilha para vocês, chicote em suas costas e espinhos em seus olhos. E vocês

desaparecerão para sempre desta boa terra que o SENHOR, seu Deus, lhes deu.

Ou seja, se membros do povo de Deus se casassem com pessoas das nações incrédulas, Deus puniria os crentes e faria com que sofressem desgraça, por terem escolhido o caminho da desobediência. O próprio Salomão passou por isso. A Bíblia nos relata o desvio do coração de Salomão e de como ele abandonou o caminho da fé. Assim descreve 1Reis 11.1-2:

> O rei Salomão amou muitas mulheres estrangeiras. Além da filha do faraó, ele se casou com mulheres de Moabe, de Amom, de Edom, de Sidom e dos hititas. O SENHOR havia instruído os israelitas claramente: "Não se casem com mulheres dessas nações, pois desviarão seu coração para os deuses delas". E, no entanto, Salomão amou essas mulheres.

A história de Salomão nos faz entender que não podemos simplesmente amar, porque o amor pode ser maligno também. Deus é amor, mas existem amores que são do diabo. O amor que Salomão sentiu no coração fez com que ele se apegasse ao que Deus condenou. Complicado, não é? Como já diria Renato Russo: "E quem um dia irá dizer que existe razão nas coisas feitas pelo coração?". Muitas vezes nos deixamos levar pelo que sentimos. Se é tão bom e parece tão puro o que eu sinto, por que não me deixar levar por esse sentimento? O problema é que tais sensações não raro estão em oposição àquilo que Deus espera de nós. Precisamos ter a mente convicta do que Deus espera de nós para que possamos, através da convicção da fé, vencer sentimentos que, muitas vezes, não são o que Deus espera de nós. Podemos nos apaixonar por alguém que não seja o que Deus quer de nós. A questão é se nossas convicções serão fortes o bastante para que vençamos sentimentos que se opõem ao Senhor. Se você diz que está amando outra pessoa que não é crente, ame mais a Deus e veja esse amor maligno ser destruído no seu coração. Ore incessantemente para que esse amor idólatra passe. Quando amamos mais a Deus, esmagamos esses falsos amores sob o peso do evangelho. É melhor dormir apaixonada pelo descrente e sozinha sendo fiel ao Senhor do que tentar satisfazer vontades pecaminosas do coração, seguindo a vida com um descrente e não tendo mais Deus ao lado. Quando somos jovens, damos muita atenção ao coração. Você não pode deixar que aquilo que você sente guie a sua vida mais do que aquilo em que você crê.

Nossos sentimentos também foram afetados pelo pecado. Porém, quando continuamos olhando para o evangelho, temos um Senhor que nos recebe e nos aceita apesar de nossos sentimentos. Quem teria coragem de confessar uma outra paixão para o marido ou a esposa? Isso é horrível! Mas você pode falar isso para Cristo: "Senhor, estou apaixonado pelo descrente e pelo pecado". E Cristo continua nos recebendo mesmo com nossas paixões doentias. Isso é maravilhoso! Não precisamos agir como Salomão, que se deixou levar pelos amores do coração. Entre Renato Russo e o profeta, eu fico com o profeta, que diz que nosso coração é pecaminoso, ávido pela maldade, enganoso, mentiroso e louco pelo mal.

Salomão não foi a única liderança que caiu por causa de desobediência ao Senhor. Esdras nos diz:

> Depois que essas coisas foram feitas, os líderes judeus vieram e me disseram: "Muitos israelitas, e até mesmo alguns

sacerdotes e levitas, não se mantiveram separados dos outros povos que habitam nesta terra. Adotaram as práticas detestáveis dos cananeus, dos hititas, dos ferezeus, dos jebuseus, dos amonitas, dos moabitas, dos egípcios e dos amorreus. Os homens de Israel se casaram com mulheres desses povos e as tomaram como esposas para seus filhos. A descendência santa se contaminou por meio desses casamentos mistos. E, pior ainda, os líderes e os oficiais foram os primeiros a cometer essa infidelidade. [...]

"Não permitam que suas filhas se casem com os filhos deles, nem tomem as filhas deles como esposas para seus filhos. Jamais promovam a paz e a prosperidade dessas nações. Se seguirem essas instruções, serão fortes, desfrutarão das coisas boas que a terra produz e deixarão essa prosperidade como herança para seus filhos para sempre".

Esdras 9.1-2,12

Mais uma vez, o texto é bem explícito. Um crente com um descrente é uma abominação. É um pecado. É agir contra o que diz o Senhor. Não é por menos que o famoso texto de Provérbios 31, que fala da mulher virtuosa, diz: "Os encantos são enganosos, e a beleza não dura para sempre, mas a mulher que teme o Senhor será elogiada" (Pv 31.30). A mulher virtuosa é a que teme a Deus. Como você pode escolher para casar uma mulher que não é virtuosa? Como pode escolher para a sua vida um homem que não é virtuoso? A virtude não está na beleza nem nos encantos, mas numa fé que é depositada no Senhor. É isso que você tem de encontrar num cônjuge. Um defeito pode ser suficiente para não estar apto para um relacionamento. Não ter Jesus é suficiente para que você não se relacione. Não ter Jesus é um defeito que destrói qualquer outra qualidade.

O último livro do Antigo Testamento é o do profeta Malaquias. Nele lemos: "Judá foi infiel, e uma coisa detestável foi feita em Israel e em Jerusalém. Os homens de Judá contaminaram o santuário que o SENHOR ama ao se casarem com mulheres que adoram deuses estrangeiros" (Ml 2.11). Casar-se com alguém que não adora a Deus é profanar o santuário do Senhor. Ele continua: "Que o SENHOR elimine das casas de Israel até o último homem que fez isso e que, ainda assim, apresenta uma oferta ao SENHOR dos Exércitos" (Ml 2.12). Você pode até não verbalizar, mas talvez pense: "Eu me caso com o descrente e depois me arrependo. Aí fica tudo bem". Talvez fique bem com a igreja e com os amigos. Com Deus, porém, é outra história.

À medida que encerrarmos essa breve análise de textos sobre casamento misto no Antigo Testamento, a seguinte objeção pode ter surgido: será que não se tratava apenas de questões de etnia? Não penso que seja essa a questão. O povo de Israel não era xenófobo. A questão não era meramente social ou cultural, mas exclusivamente de fé. Um estrangeiro convertido poderia tranquilamente se casar com alguém de Israel. Lemos isso na história de Zípora, Raabe e Rute. Moisés, uma das figuras mais importantes do Antigo Testamento, com quem Deus falava face a face, casou-se com uma mulher cuxita (Nm 12.1). Para os judeus, não poder se casar com pessoas de outros povos não era uma questão de raça ou etnia, mas uma questão de estar ou não prostrado diante do Deus de Israel. Não confundamos isso, portanto, com racismo ou xenofobia. O fato é que em toda a teologia de casamento do Antigo Testamento um crente não deveria se casar com um descrente. Isso era pecado. Isso corrompia tudo aquilo que Deus fez o casamento para ser.

O Novo Testamento

O Novo Testamento não fala muito sobre a questão do casamento entre crentes e descrentes, mas Jesus parece pressupor toda a teologia de casamento do Antigo Testamento. Quando questionado sobre divórcio ou adultério, ele recorre aos padrões do Antigo Testamento. É o que encontramos em Mateus 19.1-11 e Marcos 10.1-12, trechos em que Jesus responde a dúvidas sobre casamento aplicando de forma ainda mais profunda os valores que seriam comuns aos membros do antigo pacto.

Paulo é quem foi mais direto nesse sentido. Ainda que não haja uma teologia explícita sobre o casamento com descrentes em suas cartas, sempre que aborda o assunto o apóstolo também pressupõe a teologia do Antigo Testamento, expressando os mesmos valores. Ele faz isso claramente quando escreve aos coríntios: "A esposa está ligada ao marido enquanto ele viver. Se o marido morrer, ela está livre para se casar com quem quiser, desde que seja um irmão no Senhor" (1Co 7.39). Ou seja, a viúva pode se casar com qualquer homem, desde que ele seja crente. Casar-se com alguém que não pertence ao Senhor é errado, diz o apóstolo na linha do Antigo Testamento, e não está dentro do campo de possibilidades de uma mulher que está procurando um marido.

Logo depois, Paulo diz: "Não temos o direito de levar conosco uma esposa crente, como fazem os outros apóstolos, e como fazem os irmãos do Senhor e Pedro?" (1Co 9.5). Ele deixa claro que está solteiro, mas que tem o direito de ser casado, e casado com "uma esposa *crente*". Ele não diz que pode ter qualquer esposa. Uma esposa descrente não é algo com que ele possa contar.

De todo modo, acredito que o texto mais profundo e claro sobre essa questão está mesmo em Efésios 5. Ali a ideia expressa aos coríntios é mais bem desenvolvida, com ordens tanto para o homem quanto para a mulher sobre como deveriam tratar um ao outro dentro do matrimônio. A função do marido é sacrificar-se pela esposa para que ela seja santa, pura e sem mácula, morrendo pela esposa como Cristo morreu pela igreja. A função da esposa é sujeitar-se ao marido e auxiliá-lo em sua missão, encontrando nele um pastorado espiritual e servindo-o como a igreja serve a Cristo. A pergunta é: um descrente consegue cumprir essa função? Ímpios, quer homens quer mulheres, são aptos para aquilo que Deus cobra deles no casamento? A esposa deve ser uma auxiliadora espiritual, e uma descrente não pode ser isso. O marido deve ser o pastor da casa, aquele que lidera espiritualmente a família, e um descrente não pode fazer isso. Casar-se com alguém que não compartilha de sua fé é pecar contra tudo o que o casamento cristão significa.

Os desafios práticos

Além de ser pecado, casar-se com alguém que tem outro pai espiritual resulta em muitos desafios práticos. Você terá dificuldades com a sua fé. Sua presença na igreja pode sofrer. Ao se casar com alguém que é filho ou filha de Satanás, você não poderá ir a viagens missionárias, retiros ou acampamentos com a mesma facilidade que teria caso seu cônjuge o acompanhasse. Seu engajamento no serviço ministerial ficará abalado, se você quiser ser um ministro um dia. Você pode querer ser uma missionária e seu marido não querer acompanhá-la nesse processo. Doações financeiras para necessitados e missões podem ser prejudicadas porque seu cônjuge não compartilha do mesmo interesse de investir naquilo que é eterno. Acima de tudo, você estará escolhendo se casar com alguém que não passará a eternidade com você junto de Cristo — e que, na verdade, pode levar você a acompanhá-lo numa eternidade ao lado dele no inferno.

A Bíblia diz que feliz é aquele que não se junta à roda dos zombadores (Sl 1.1). Casar-se com um descrente é sujeitar-se a passar a vida tendo de administrar o escarnecimento e a zombaria contra Deus dentro de sua própria casa. O descrente que hoje respeita sua fé pode deixar de respeitar daqui a pouco. Claro que qualquer pessoa pode mudar, mas é você que se coloca mais perto do caminho do erro. "As más companhias corrompem o bom caráter" (1Co 15.33).

Além do mais, como ficará a criação dos filhos? Como eles serão ensinados? Na fé ou na descrença? Você tentará ensinar de uma forma, e o cônjuge seguirá outro caminho. A criança nascerá num lar onde não há unidade de crença acerca da Palavra. As éticas e os valores são muito distintos. Tomar decisões sobre carreira, moradia, tempo, recurso, dinheiro, criação etc. será um conflito. Casar com um descrente é dar um falso mestre para seus filhos.

Casar com um descrente é ignorar que você tem outro Pai. Não há meio-termo: ou Deus é nosso Pai, ou nosso pai é Satanás. Você quer mesmo conviver em profunda intimidade com quem adora o acusador? Você é filho de Deus. O descrente é filho da ira. Não basta dizer que tal pessoa é boa, "só falta Jesus". Se só falta Jesus, falta tudo. Imagina a seguinte história: uma moça diz que encontrou um rapaz trabalhador, bonito, esforçado, educado, mas que só tem um defeito. Ele espanca a própria mãe. Faz sentido ignorar esse único defeito em nome das supostas qualidades? Às vezes, um defeito é suficiente para destruir todo o resto. Um único defeito é ruim o bastante para que falte tudo. Não ter Jesus é o que corrompe tudo, porque a pessoa terá outra paternidade. Essa pessoa será sujeita à vontade da carne, do mundo e do diabo. Por que você colocaria sua vida nas mãos de alguém assim?

Você também não terá o consolo de passar a eternidade ao lado dessa pessoa. Sabemos que não existirá casamento nos céus. Porém, eu sei que passarei a eternidade com a Isa, que é minha esposa — certamente em um tipo diferente de relacionamento, mas certamente unidos em Cristo Jesus para sempre. Estou casado com alguém que vou poder amar para sempre, ainda que amando de outra forma. Se você escolhe se casar com um descrente, você escolhe ter um relacionamento muito breve. Não será um relacionamento que, em Cristo, durará por toda a eternidade nos céus.

Conclusão

Para encerrar, quero me referir a três grupos possíveis que possivelmente insistiram na leitura até aqui.

Primeiro, se você é um crente com o desejo de casar-se com um descrente, reconheça que isso é pecado e uma ofensa a Deus. É trabalhar para destruir sua vida. Se insistir nesse caminho e se casar, sem se arrepender desse processo, o caminho correto da sua igreja é o caminho da disciplina. Sim, você deveria ser excluído da comunidade. Kathy Keller, esposa do Timothy Keller, diz assim: "Se você acha que está sozinho antes de se casar, não é nada comparado ao quão sozinho você pode estar depois de se casar com um incrédulo".[4] Então, tome cuidado com as decisões da sua vida.

Agora, não se esqueça também de que o descrente pode estar na igreja e ser um colega da mocidade. A pessoa pode frequentar a igreja, mas ter uma vida contrária à vontade de Deus. Essa pessoa ainda está se enganando. Procure um homem ou uma mulher que realmente demonstre uma vida de fé em Cristo Jesus. Sonde bem as questões de fé da pessoa com quem você quer se casar. Você precisa saber se aquela pessoa não está seguindo heresias, pensamentos falsos ou se entregando a uma vida de pecado. Confie no conselho de seus pastores, no conselho de seus líderes, no conselho de irmãos na fé mais velhos e mais sábios, no conselho de seus pais, porque são apenas eles que estarão lá se você cometer um erro e se casar com um descrente achando que está se casando com alguém que ama o Senhor.

Em segundo lugar, se você já é casado com um descrente, seja porque se casaram descrentes e você se converteu depois, seja porque você já cometeu esse erro na sua vida, lembre-se de que, se você se casou com um descrente, você pecou. Você tem de se arrepender do pecado. Você não tem de abandonar o casamento, mas tem de se arrepender da má escolha que fez. Por exemplo, eu namorei por seis anos. Eu me arrependo muito disso. Não queria ter tido um namoro tão longo. Eu me arrependo de ter namorado muito tempo, mas não da esposa que Deus me deu. Se você está nesse

---

[4] Kathy Keller, "Don't Take It from Me: Reasons You Should Not Marry an Unbeliever", The Gospel Coalition, 22 de janeiro de 2012, <https://www.thegospelcoalition.org/article/dont-take-it-from-me-reasons-you-should-not-marry-an-unbeliever/>. Acesso em: 27 de maio de 2022.

processo, leia 1Coríntios 7. O povo de Corinto parecia querer abandonar os cônjuges descrentes. Paulo diz que não. Você não tem de fugir de um casamento já consolidado simplesmente porque a outra pessoa não tem fé. Se o descrente consente em viver com você, continue vivendo com ele para a glória de Deus e lute para ganhá-lo para Cristo. É preciso lutar por um casamento o mais santo possível entendendo as limitações relacionadas a isso, mas amando profundamente a pessoa que Deus lhe deu.

Em terceiro lugar, você também pode ser um descrente casado com um crente. Talvez este livro caiu nas suas mãos, ou seu cônjuge lhe pediu que lesse. Seja grato a Deus pela pessoa que Deus lhe deu. Seja muito grato porque Deus colocou uma filha ou um filho dele com você. Porém, não se esqueça de que a fé dela ou dele não substitui a sua. Salvação não é sexualmente transmissível. A salvação não chegará à sua vida porque você dorme à noite com alguém que tem fé. A fé da pessoa com quem você está não substitui a fé que você precisa ter pessoalmente com Jesus. Então, procure a Cristo. Passe a eternidade com a pessoa que você ama e encontre um amor muito superior, que é o amor por Cristo Jesus.

Perguntas e respostas

Autores costumam testar suas ideias antes de publicá-las. Depois que este livro foi escrito, cada capítulo foi apresentado como sermão na Igreja Batista Maanaim ao longo de seis domingos. Quando a série havia alcançado mais de 150 mil pessoas no pequeno canal de YouTube da igreja, nossa juventude organizou um momento de perguntas e respostas que contou com jovens solteiros e namorando de várias outras igrejas. O que segue é uma adaptação razoavelmente fiel de tudo o que foi conversado lá.

* * *

De onde veio a ideia de escrever (e pregar para toda a sua igreja) sobre namoro?
O nome deste livro, *Fogo no parquinho*, vem daquele *meme* conhecido na internet usado para expressar confusão. Imagine a cena: várias crianças brigando, puxando o cabelo umas das outras no *playground* da escola. "Fogo no parquinho!", dizem. Essa ilustração também pode ser usada na igreja para falar de pessoas ainda jovens que estão brincando com fogo, e fogo aqui é uma metáfora para o desejo ardente do impulso sexual.

Quando pessoas jovens demais brincam com o que faz parte apenas da vida adulta, isso gera uma confusão que prejudica nosso ambiente de igreja. Quando cheguei à Igreja Batista Maanaim, meu primeiro ministério pastoral, ela foi naturalmente se tornando uma igreja jovem. Já havia pessoas com namoros longos, mas outros começaram a se integrar à membresia. Com isso, sentimos que os problemas começaram a se repetir: sexo antes do casamento, namorados passando dos limites físicos, términos um tanto quanto traumáticos. No presbitério, começamos a nos questionar como a igreja deveria se portar com relação a esses problemas. Uma das medidas tomadas foi fazer alguns encontros com os casais de namorados, na minha casa. Ensinamos educação financeira, teologia bíblica, sabedoria relacional e várias outras coisas para manter os jovens em santidade e facilitar o caminho para o matrimônio. Chegamos a esboçar padrões éticos que iriam para o regimento interno da igreja, tentando colocar no papel como deveriam ser as questões de namoro.

Certo dia, recebi uma ligação do pastor fundador da Maanaim, o pastor Pedro Pereira. Ele me ligou enquanto estávamos esboçando esse documento. Apesar de o pastor Pedro não ter mais nenhuma autoridade sobre a Maanaim, temos muito respeito por ele. E ele me aconselhou a não fazer qualquer texto nesse sentido para o estatuto. Para ele, aquilo seria um erro juvenil — e ele tinha toda razão. Na visão dele, ainda que eu tivesse a melhor das intenções, nós deveríamos pensar na igreja para além de nós. Sempre aparecerá alguém mais santo que nós que pode aproveitar o fato de haver padrões registrados no papel para tomar o que está escrito e transformar em outra coisa escrita. Aos poucos, a igreja deixaria de ser regida pelo púlpito para ser regida por um monte de regrinhas humanas.

Com base nisso, não concluí aquele documento — graças ao conselho maduro de um pastor mais velho. Fiquei pensando então em como guiar a igreja sobre relacionamentos a partir do púlpito, mas era difícil achar material bíblico e expositivo sobre o assunto. Materiais sobre namoro se resumem a regras, preferências e opiniões. Afinal, é muito difícil de se pregar sobre o que a Bíblia não trata explicitamente.

Foi então que preparei uma série de sermões, tentando usar a Bíblia como fonte de nossa visão sobre relacionamentos. O plano inicial era pregar para os jovens, mas mudei de ideia e resolvi pregar para a igreja inteira. O objetivo era poder criar uma cultura que ajudasse toda a comunidade. Eu não queria que só os jovens conhecessem a forma bíblica de se pensar sobre namoro. Eu precisava que os pais pensassem igual. Cheguei a essa conclusão quando uma mãe veio até mim após um culto de oração e perguntou quando o filho dela poderia beijar na boca. Ela disse que não deixava que ele namorasse, mas ele já começava a falar das meninas da escola e logo poderia surgir o desejo de ficar.

Então, percebi que não adiantava ensinar aos jovens da igreja o que pensar sobre namoro se seus pais vão pregar o contrário em casa. Entendi que seria bom gastar o domingo à noite para ensinar sobre namoro, porque criar uma cultura numa comunidade significa regê-la a partir do púlpito. Foi daí que surgiu a ideia de pregar a série "Fogo no parquinho" em seis sermões. Porém, como o assunto era difícil, decidi escrever primeiro um livro e só depois começar as pregações. Os textos que estão neste livro foram melhorados pelos sermões, mas são anteriores ao que foi dito no púlpito de nossa comunidade.

As pessoas geralmente ficam revoltadas quando ouvem você falar contra beijo no namoro?

A maioria de nós que se dispõe a aceitar isso já está casada. Quem ainda está solteiro, afetado diretamente pelo modo de pensar sobre o assunto, certamente terá mais dificuldades. Dos seis anos que namorei com a Isa, quatro foram sem beijo. Percebemos que os dois anos que namoramos com beijo não foram corretos, então decidimos parar com isso se queríamos casar virgens. Não foi uma experiência agradável. Eu cheguei a ter inveja do ímpio. Cheguei a escrever um devocional no salmo 37 no qual confessava ter inveja dos meus amigos pegadores. Uns que até estavam na igreja se passando ali de crentes, mas que faziam o que queriam com a namorada. Na minha cabeça juvenil, parecia um "ótimo negócio" ter a experiência do pecado, curtir a sexualidade, e então voltar arrependido — eu estaria perdoado, e teria feito sexo. Já me causava desconforto permanecer na santidade, e estava há tempos imaginando meios de satisfazer desejos ímpios. Apesar disso, eu tinha o Espírito Santo que me incomodava e não me deixava participar livremente das coisas que eu queria.

Se naquela época eu tivesse uma teologia um pouco mais saudável e conseguisse entender por que era pecado fazer o que eu queria, acho que teria conseguido passar pela santidade com mais força, porque teria uma explicação bíblica para aquilo. Eu não tinha uma explicação bíblica. Eu sabia que não poderia transar, e sabia que tudo o que estava fazendo me levaria a isso. Então, eu tinha de evitar para não pecar. Porém, eu achava que, desde que não fizesse sexo, estaria tudo bem. Com dois anos de namoro descobri que não dava para aguentar permanecer virgem tendo acesso ao corpo da outra pessoa com alguma liberdade.

Fui percebendo, então, que eu não era o único. É um comportamento comum da juventude achar que dá para gostar daquilo que as Escrituras não condenam explicitamente, ficando na corda bamba entre o sexo pré-marital e o desfrute do corpo da outra pessoa para o próprio prazer. A verdade é que isso não funciona. Existe uma epidemia de sexo pré-marital porque vocês, jovens, acreditam nisso. Vocês acreditam que podem ficar sozinhos se beijando e passando a mão um no outro e que vai ficar só nisso. E não fica! O desejo, uma vez aquecido, só aumenta a temperatura. Basta um ponto de incêndio numa floresta para que ela seja consumida. É por isso que a Sulamita diz, em Cântico dos Cânticos, que não se deve despertar o amor enquanto ele não está pronto. Você não vai conseguir se controlar se ficar dando petiscos de satisfação dentro do seu namoro.

Estou convencido não só por aquilo a que o beijo e os toques levam. O próprio cenário de beijos e toques no namoro é impróprio não somente pelo que gera, ou porque leva a pecados mais intensos. Isso em si já é uma coisa imprópria para o namoro. Não é normal que você fique sentado chupando a língua do outro se não for casado. A filosofia é a seguinte: se você não pode fazer com qualquer irmã ou irmão da igreja, você não pode fazer com sua namorada ou seu namorado. O normal é que dois namorados dentro de um ambiente de fé se tratem como dois irmãos. Pode haver um ambiente de conversa, carinho crescente e um sentimento que se aprofunda. O contato físico, porém, é coisa muito problemática quando começa dentro de um ambiente de namoro. Fico espantado que, quando namorados, sejamos tão rápidos em negar aquilo que é óbvio, ao passo que somos muito rápidos para aceitar essa realidade quando nos casamos. Eu encontro vários casados concordando, mas geralmente quem não é casado quer arranjar desculpa. Você não gostaria de ter uma vida mais santa?

Ao longo da série de sermões baseada neste livro que preguei na minha igreja, três ou quatro irmãos chegaram para mim e disseram: "Pastor, ainda bem que estou ouvindo isso só depois de casar". É uma brincadeira com o fato de terem curtido o namoro e só descoberto agora que não podiam ter agido daquela forma. Eu respondo: "Sabe o que eu acabei de ouvir? 'Pastor, ainda bem que eu pequei bem muito antes de casar!'".

Muitas vezes, não queremos aceitar que a vida na fé é uma morte. A vida da fé é morrer para este mundo. Vivemos em um mundo que vai cada vez mais degradar os valores da nossa fé. Hoje, em nossa cultura, beijar um desconhecido é normal. Ir para a balada e se vangloriar de ter beijado quinze pessoas é normal. Se deixarmos que nossos valores sejam os valores do mundo, se adaptarmos o que pode e o que não pode ao que é simplesmente normal e corrente no dia a dia, vamos simplesmente reproduzir os valores do mundo. O que deve balizar nossos ideais sobre namoro e relacionamento precisa estar na Bíblia.

A pergunta a se fazer é se os seis capítulos deste livro são bíblicos. Se a resposta é sim, você tem de conformar sua vida ao que foi dito, porque não fui eu quem disse, foi Deus. Se a resposta é não, você precisa estar apto para analisar o texto bíblico e contra-argumentar de acordo com a Palavra de Deus. Afinal, algumas coisas não são difíceis de entender, são difíceis de aceitar, quando sua expectativa é colecionar algumas bocas antes de se casar. O namoro cristão deveria ser um relacionamento no qual ambas as partes possam terminar a qualquer momento sem nenhum prejuízo. A única forma de isso acontecer é se vocês não estiverem se experimentando em coisas que são próprias apenas ao casamento.

O que Paulo quer dizer com "Se não conseguirem se controlar, devem se casar" (1Co 7.9)? O celibatário não sentirá desejo, ou a pessoa sabe da tentação no quesito sexual, por isso busca se casar para não vir a pecar?

Quando Paulo fala em celibato, ele lida com uma igreja que sofria uma espécie de dualismo. Por um lado, havia uma imensa imoralidade sexual; por outro, havia um grupo de pessoas que achava que seriam mais santas se não tivessem intimidade física com o próprio cônjuge. Na visão destes, o sexo era uma coisa pecaminosa mesmo dentro do casamento. Além disso, alguns queriam deixar o casamento com seus cônjuges, porque eles eram descrentes. Os que queriam se divorciar pensavam que, pela sexualidade, poderiam "adquirir" o pecado de seu cônjuge.

Paulo aborda a questão do celibato para esses grupos argumentando que poderia existir aqueles que não têm interesse em coabitar sexualmente, porque Deus chamou alguns para isso. A linguagem que Paulo usa é "arder" ou "abrasar-se". O celibatário é uma pessoa que consegue viver sem se abrasar e sem praticar imoralidade sexual. Imoralidade sexual é uma linguagem já do ato, da prática em si. Como saber se você é um celibatário? Primeiro, responda: você consegue viver sua vida sem imoralidade sexual mesmo sem se casar?

Agora, Paulo não olha só para o ato externo. Ele olha para algo interno também. Abrasar-se é sentir um calor interno, ou seja, é uma linguagem para o desejo sexual. Qual é o nível do desejo sexual que qualifica o celibatário? Se você não tem desejo sexual nenhum, você é um ótimo candidato para o celibato. Você seria uma pessoa que, dentro do casamento, seria um problema. Se você quer se casar, mas não quer fazer sexo, você quer uma amiga, não uma esposa. O casamento envolve suprir o desejo sexual do outro.

Mas pode acontecer de você até ter o desejo, mas saber controlar. Aqui entramos em uma zona de sabedoria bíblica, na qual você aplica à sua vida aquilo que considera ser o certo. Se você sente que os impulsos sexuais não são tão grandes, talvez possa considerar o celibato.

Como lidar com a pressão dos pais para arrumar um namorado?

Essa pressão, em geral, significa que seus pais têm um casamento feliz. Mãe infeliz nunca quer que o filho se case logo. Então, se seus pais querem que você arrume alguém, significa que eles são felizes no casamento. Isso é um bom sinal. A pressão dos pais, porém, precisa ser calibrada por sua própria percepção. Talvez você possa sentir pressão porque se trata de uma área sensível para você. Ou talvez seja uma pressão de fato. Aqui pode haver dois cenários. Eles podem ter razão em dizer que você não se movimenta, não sai do lugar. Nesse caso, você deve dizer a eles que não está fazendo nada de errado e que deseja ajudar nos afazeres de casa, se for preciso. Talvez você precise participar mais da vida em sociedade. Ou pode ser que eles sejam mesmo sem noção. Nesse caso, sonde o seu coração e cuide do seu interior. Entenda que existem muitas pressões ao nosso redor e que você não precisa corresponder a todas elas. E converse com seus pais. Se a situação não melhorar, suporte. Eles colocaram você no mundo e o sustentaram — ou talvez ainda sustentem.

Mulher pode tomar iniciativa para pedir em namoro?

Em nossa cultura, existe uma prerrogativa de iniciativa masculina. Geralmente, quem se ajoelha e pede é o homem. Então, vem o movimento feminista e acha que é um símbolo de emancipação feminina a mulher se ajoelhar para pedir em casamento ou coisas semelhantes.

Essa prerrogativa masculina decorre de vários fatores sociais, biológicos ou históricos, mas acredito que também é algo criacional. Gênesis diz que o homem deixa pai e mãe e se une à mulher. O texto poderia dizer que "a mulher deixa pai e mãe" ou que "ambos deixam pai e mãe", mas em vez disso estabelece uma prerrogativa masculina de ir em direção, porque em tese as mulheres eram mais cobiçadas.

Isso é certo. Isso expressa liderança, cuidado e pastoreio. Em geral, a mulher é mais vulnerável no sentido físico. Mas se a menina gosta do rapaz, o que fazer sem ser oferecida? Há uma série de coisas que ela pode fazer sem tomar dele a iniciativa. Atitudes sutis, conversas que vão se estabelecendo. O problema é não saber ser sutil. A menina conversa todo dia com o rapaz, dá bom dia, fala sobre detalhes da vida e depois diz que é só amizade. Se ela arruma uma paquera, vai fazer o que de diferente?

Mas imaginemos que há essas conversas, essa amizade, um relacionamento que se aprofunda, e ainda assim o rapaz não toma nenhuma atitude. A moça então pode dizer a ele: "Olha, eu estou gostando de você e queria saber se é recíproco para eu não ficar me iludindo". E o que ele faz com isso? Ele toma a iniciativa de pedir em namoro, ou então se afasta.

Sobre quais assuntos se pode conversar antes de namorar?

É bom estabelecer pontos concordantes no que diz respeito à fé e ao projeto de vida. Muitas vezes o que é feito é buscar pontos em comum de personalidade ou gostos pessoais. Tudo isso é importante, mas se você está tentando conhecer alguém para construir uma vida, é preciso saber onde vocês estão na fé: como é a leitura bíblica, devocional, a teologia. Às vezes um é da igreja batista e outro é da presbiteriana, então como vai ser quando se casarem? Alguém terá de ceder. O que o outro pensa sobre assuntos centrais? Recomendo os livros *Namoro: Identificando sinais de perigo*, de Lou Priolo, e *Antes de dizer sim*, de Jaime Kemp.

Um alerta que dou é que não se fale sobre safadezas ou vida íntima. A hora de conversar sobre expectativas sexuais é perto do casamento, junto com um conselheiro. Se você tem questões ou dúvidas, procure um conselheiro individualmente. Há coisas que são tratadas no gabinete e outras que devem ser expostas à pessoa com quem se namora. Evite conversas que sejam muito íntimas nesse sentido.

Como esquecer alguém? Mais especificamente, como esquecer a paixão por um descrente?

É complicado fazer uma listinha de passos para esquecer uma paixão. Basicamente, é preciso ter maturidade emocional para superar e buscar um amor novo. É preciso entender que podemos amar de forma errada. Viva uma vida de serviço e entrega, desabafe e entregue a Deus em oração, e siga em frente.

Em que momento devemos iniciar o planejamento do casamento?

Assim que arrumar um emprego. A primeira conversa já deveria ser quando vão se casar. Ora, se são dois crentes e um chama o outro para namorar, só existe uma finalidade em vista: casar. É preciso ouvir o que outro tem a dizer sobre as expectativas de casamento.

Que conselho dar a jovens que preferem ficar solteiros por medo de casar tendo em vista o grande número de divórcios e de problemas no casamento?

Se você consegue ficar solteiro, bem-vindo ao celibato. É importante que você entenda o que leva a tantos casamentos ruins e divórcios. Precisamos ser guiados não só pela experiência pessoal, mas sobretudo pela Palavra de Deus. Nossa experiência pessoal pode ser variada. Conheço pessoas na igreja cujos familiares todos se divorciaram. Quando você cresce num ambiente desses, isso forma um imaginário de que casamento não funciona. Porém, somos confrontados com a Palavra de Deus. Ela diz que o próprio Senhor inventou o casamento e o fez para ser muito bom. Se Deus criou o casamento, nós confiamos nele. Minha experiência pode ser ruim, mas tenho de confiar no que o Senhor diz. É como um desigrejado que se decepcionou com várias igrejas e acha que nenhuma igreja presta. Se há muitos casamentos ruins e divórcios ao seu redor, interprete isso como um chamado para fazer um casamento diferente. Seja um testemunho para o mundo à sua volta. Já diria G. K. Chesterton que o casamento é uma batalha da qual nenhum homem honrado ousa fugir.

Namorado se afastou dos caminhos de Deus e terminamos. Depois disso, nós nos santificamos. Vale a pena voltar?

Às vezes vale. Agora, só vale a pena investir no ex se vocês resolveram o motivo do término. Se ainda forem as mesmas pessoas voltando para o mesmo relacionamento, não vale de nada. Se vocês resolveram os motivos que fizeram com que o relacionamento se rompesse, talvez possam dar uma chance. Caso contrário, é só a porca lavada voltando para o chiqueiro.

Existe alma gêmea? Deus tem uma pessoa específica para você se casar?

Tem. Você quer saber quem é sua alma gêmea? Quando você tiver a certidão de casamento, você saberá. A pessoa que Deus preparou para você é a pessoa que você terá.

Achamos que a pessoa nasce selada. Esse é um assunto que envolve o antigo debate sobre a soberania de Deus e a responsabilidade humana. Esse é um dos casos em que o homem exerce seu poder de tomada de decisão e ao mesmo tempo há um Deus que é soberano sobre essa tomada de decisão. Eu me casei com a Isa porque eu quis. Ela é linda, bondosa, caridosa, a pessoa mais altruísta que já vi na vida, serva do Senhor. Eu a escolhi. Mas e se eu tivesse exercido outra decisão? Ou seja, por trás do fluxo das minhas decisões, eu sei que há um Deus. O termo que Deus usa para falar de casamento na criação dele é que agora homem e mulher se tornarão uma só carne.

Há uma ilustração muito bonita dos puritanos. Perguntaram a uma senhora à beira da morte se ela não tinha medo de escapar da mão de Deus. Ela disse: "Isso é impossível, porque sou seus dedos. Ele me fez uma com ele. Eu sou sua mão. Não há como eu escapar". Isso também é realidade no casamento. Quando homem e mulher se casam, eles se tornam um. É mais do que almas gêmeas. É uma unidade. Perder o cônjuge é perder parte de si. Os filhos são extensões do casal, mas homem e mulher são um. Portanto, a partir do momento em que você toma essa decisão, você sabe que havia um Deus guiando essa decisão. Uma vez casados, a pessoa se torna sua alma gêmea predestinada por Deus para sua vida através da sua escolha.

Isso pode ser confuso e difícil de relacionar. Ninguém entende muito bem. A Palavra de Deus prega as duas coisas simultaneamente. Deus endureceu o coração de faraó e o faraó endureceu seu próprio coração. Como relacionar? Sei lá! Eu sei que há um Deus por trás das minhas decisões, e nisso encontro meu descanso.

É certo orar ou pedir oração para arrumar uma namorada?

Claro! Vai pedir para quem? Oramos por saúde, alimento, para o ônibus chegar na hora etc. Casamento é coisa de Deus. Então você pede o auxílio divino para que Deus venha e traga alguém. Ore para se casar.

Queria ser celibatário, mas acho que não consigo. O que fazer?

Podemos querer muitas coisas, mas temos de aceitar o que podemos fazer. Você será fiel a Deus sendo celibatário? Ele lhe deu esse dom? Se você tem um fogo aí dentro de você, então Deus não o chamou para isso. Você lida com isso deixando de querer ser celibatário. Porém, é preciso entender o que faz você não querer se casar. Você quer ser missionário? Há muitos que são casados e extremamente úteis para o reino de Deus. O que faz você querer fugir do casamento? Medo de traição? Não saber como sustentar uma casa? Se você tem impulsos sexuais e está fugindo do casamento, você pode estar fugindo de algo. É preciso descobrir o que é.

É possível um casado virar celibatário?

Só na viuvez. Na viuvez, geralmente você é mais velho e com os impulsos sexuais mais refreados. Então, é um momento da vida em que o celibato se torna possível. Paulo aconselha às viúvas que considerem permanecer em celibato para o serviço do reino de Deus.

Selinho é permitido?

Depende qual é a cultura com que estamos lidando. Na maioria das culturas antigas, incluindo a hebraica, o selinho não era exclusivo para namorados ou casados, mas era uma saudação comum. As pessoas davam selinhos normalmente, sem intenções sexuais. Na nossa cultura, não é assim que funciona. Se fora do namoro um encostar rápido de lábios não possuía conotação sexual, dentro do relacionamento de amantes o selinho tem um sentido diferente. Por isso a Sulamita nem isso poderia fazer com seu prometido, mesmo que pudesse fazê-lo com um familiar. Um namorado, convencido de que deseja um petisco dos lábios, certamente não está usando o selinho como cumprimento inocente de uma cultura antiga. Numa cultura onde o selinho não é um cumprimento social, ele pode se tornar um pecado não pelo que é, mas pelo que implica.

Como saber se a pessoa é da vontade de Deus?

Existe um bom nível de liberdade pessoal na escolha de um cônjuge. É preciso cumprir alguns pré-requisitos fundamentais e outros opcionais. O que são os pré-requisitos fundamentais? É o que a Palavra de Deus exige da pessoa. O pretendente é crente? Cumpre, ou demonstra indícios de que é capaz de cumprir, o que a Palavra de Deus demanda de seu papel como marido/esposa? Ou seja, é uma pessoa que pode pastorear uma casa? É uma pessoa que assumirá o papel como igreja nesse relacionamento? É alguém que tem vencido os pecados? Aquilo que a Palavra de Deus cobra não é negociável.

Existem algumas coisas que são culturalmente localizadas. Na nossa cultura valorizamos o exercício de vontade. Então, eu tenho de querer. Tenho de me sentir de alguma forma atraído pela pessoa. Pela personalidade dela, pelo caráter, por quem ela é. Se eu estivesse palestrando para uma cultura judaica do mundo antigo, o pai escolheria e pronto.

A atração física é uma coisa boa. Geralmente funciona. Porém, existem formas de outras pessoas nos ajudarem nisso para sabermos se é vontade de Deus. A aprovação dos pais — sejam crentes ou não — e o pastoreio da sua comunidade são elementos muito positivos. Se seus pais aprovam, beleza! Se não, você precisaria de outras pessoas para balizar suas decisões. É arriscado ir contra os pais. Eles podem até estar errados, mas é arriscado. É bom ter os pastores perto e uma comunidade para entender se aquilo é vontade de Deus para sua vida ou não. Certa vez, uma jovem chegou ao meu gabinete aos prantos, dizendo: "Pastor, todo mundo é contra meu namoro!". "Todo mundo?", tentei confirmar. "Meus pais, minhas amigas… não tem uma pessoa que seja a favor!", ela disse, com lágrimas nos olhos. Então eu disse: "E você não parou para pensar que elas podem estar certas, não?". A resposta dela foi: "Até o senhor, pastor!".

Se todo mundo é contra, então qual é a explicação? Tem um amante secreto pagando todo mundo para boicotar esse relacionamento? Só podia ter algo errado com esse rapaz. E tinha mesmo! É tenebroso o que a paixão faz com nosso coração. Passamos a não escutar ninguém e a ser levados só por nossas vontades. Há coisas que a paixão não nos deixa ver porque ela nos deixa burros. E não é para ofender. Apaixonar-se é se deixar levar pelo emocional, a ponto de não pensar direito. O que você acha que faz um homem trocar a esposa com quem é casado há vinte anos por uma novinha? Burrice! O que faz alguém pensar que a traição não vai ser descoberta? Tolice!

Precisamos de pessoas que nos protejam. Deixe-me dar um exemplo. Eu estava conversando com um pastor amigo de uma megaigreja com uns seis mil membros. Eu perguntei: "Como é a estrutura aqui? Vocês têm presbitério?". Eles não tinham nada parecido com isso. "E quem toma as decisões?", insisti. Ele respondeu, sério: "Sou eu", e continuou: "Já tentei implementar um presbitério, mas não deu certo. E preciso proteger a igreja". Insisti mais um pouco, e perguntei: "Tudo bem, mas quem vai proteger a igreja de você? Como você protege a igreja dos seus pecados? Se você estiver sozinho, você precisará de pessoas que protejam a igreja de você para que seus pecados não destruam a igreja que você lutou para construir".

É semelhante à animação da Liga da Justiça chamada *Legião do Mal*. Nela, todos os integrantes da Liga são atacados e quase derrotados em seus pontos de vulnerabilidade. Depois que o Batman consegue ajudá-los a vencer o que os mataria, ele mesmo revela que havia elaborado planos de contingência para neutralizá-los. Esses planos foram modificados para matá-los. Posteriormente, e aqui vai um *spoiler* do filme, o Batman diz que não se arrepende de ter feito os planos e que até já fez outros! Então, o Super-Homem fala para ele: "Você é arrogante e fez planos para todos, menos para você". Ao que o Batman responde: "Eu tenho um plano para mim. Ele se chama Liga da Justiça".

E a realidade da igreja é isso. Precisamos de uma Liga como um plano de contingência para nossos pecados, e essa liga são os presbíteros. Analogamente, o namoro precisa de pessoas que o neutralizem, e até mesmo o terminem se for preciso, para que você não peque. Essa liga são seus líderes, seus amigos, seus pais. Eles são o plano de contingência de Deus para que você não saia do controle e peque, se afastando dos caminhos dele.

Eu já aconselhei uma moça cujo namorado a tinha traído, ido à despedida de solteiro num cabaré e feito tudo de ruim. Eles terminaram. Depois de um tempo, voltaram e eu perguntei o porquê. Ela disse: "Ô pastor, a gente já viveu tanta coisa juntos". Viveram mesmo. E era para ter abandonado! Construímos uma história e a paixão nos leva a sacrificar a própria vida em nome de assentir algo que já vivemos. Somos os piores avaliadores de nossos relacionamentos. Converse com seus pastores, pais e amigos. Eles são instrumentos de Deus para nos manter nos caminhos dele com um namoro santo e fugir da paixão que nos cega para lobos vestidos de ovelhas.

Sobre o autor

Yago Martins é mestre em Teologia Sistemática pelo Instituto Aubrey Clark e bacharel em Teologia pela Faculdade Teológica Sul Americana, além de pós-graduado na primeira turma da Escola Austríaca de Economia do Centro Universitário Ítalo Brasileiro e em Neurociência e Psicologia aplicada da Universidade Presbiteriana Mackenzie. É autor e coautor de outros quatorze livros, incluindo *No alvorecer dos deuses* (Thomas Nelson Brasil, 2020) e *A máfia dos mendigos* (Record, 2019). Pastor na Igreja Batista Maanaim, em Fortaleza, trabalha desde 2009 com evangelismo de estudantes secundaristas e universitários na Missão GAP, sendo presidente do conselho diretor desde 2016. Atuante na popularização de teologia na internet, apresenta o canal Dois Dedos de Teologia no YouTube. Preside o Instituto Schaeffer de Teologia e Cultura, pelo qual organiza anualmente o Fórum Nordestino de Cosmovisão Cristã. É casado com Isa Martins e pai de Catarina.

Compartilhe suas impressões de leitura,
mencionando o título da obra, pelo e-mail
opiniao-do-leitor@mundocristao.com.br
ou por nossas redes sociais

Esta obra foi composta com tipografia Janson Text e Kandal
e impressa em papel Pólen Natural 70 g/m² na gráfica Imprensa da Fé